E.T.™

l'extra-terrestre

William Kotzwinkle
d'après un scénario de Melissa Mathison

l'extra-terrestre

Traduit de l'américain
par Nicole Sels

1

Le Vaisseau spatial flottait doucement dans les airs, arrimé à la Terre par un faisceau de lumière mauve. Le promeneur égaré en ces lieux eût pu croire un instant qu'une gigantesque boule de Noël était tombée de la voûte céleste – car la coque était ronde et ses flancs miroitants s'ornaient d'un dessin délicatement ciselé, au tracé gothique.

La Nef répandait une lumière chaude et douce comme un fruit mûr et sa carène saupoudrée de poussière de diamant scintillait; pour un peu, le visiteur se serait pris à chercher à son pôle supérieur le crochet ornemental qui avait servi à la suspendre dans une lointaine galaxie. Mais il n'y avait âme qui vive, et c'est à dessein que le Vaisseau s'était posé en ce site, avec l'intelligence imperturbable qui le gouvernait, à l'abri du moindre achoppement. Pourtant, une erreur allait se produire...

Le sas était ouvert, et l'équipage égaillé dans la nature auscultait le sol à l'aide d'instruments aux formes inconnues. On eût dit de petits elfes chenus affairés à sarcler leurs jardins noyés de brume, au clair de lune. Mais de-ci de-là, les lambeaux de brume s'écartaient et la lumière pastel tombant de la coque du Vaisseau découvrait des êtres en réalité plus versés dans les choses de la science, occupés à prélever des échantillons – fleurs, mousses, arbustes et baliveaux. Leurs têtes contrefaites, leurs bras trop longs, leurs bustes rebondis et leurs silhouettes courtes sur pattes pouvaient évoquer le pays des elfes – et la tendresse qu'ils prodiguaient aux espèces végétales aurait pu, si quiconque eût hanté ces parages, renforcer cette impression, mais personne n'était là, et les elfes-botanistes venus du cosmos avaient tout loisir de travailler en paix.

Ce qui ne les empêchait pas de sursauter chaque fois qu'une chauve-souris poussait son cri, qu'un hibou ululait ou qu'un chien aboyait au loin. Alors leur respiration s'accélérait et, en guise de camouflage, ils émettaient du bout de leurs doigts de petits nuages de brouillard qui s'échappaient aussi de leurs orteils, qu'ils avaient fort longs. Le promeneur solitaire perdu sur ce chantier brumeux éclairé par la lune aurait eu bien du mal à imaginer qu'un équipage venu des espaces sidéraux pût se cacher ici.

Quant à l'astronef, c'était une autre histoire. Ce n'est pas tous les jours qu'on voit arriver sur Terre des boules de Noël d'un tel calibre, fussent-elles de style victorien. Le radar, le flair des militaires et toutes sortes de techniques d'exploration sophistiquées peuvent sans difficulté détecter leur présence; et bien sûr le joujou géant n'y avait pas échappé. Bien trop gros pour qu'on le rate. A terre, ou dodelinant sur l'arbre de la nuit, aucun brouillard au monde n'aurait pu le camoufler entièrement.

Le choc de la rencontre était proche. Les voitures officielles vrombissaient déjà, les spécialistes de l'administration s'employaient à justifier leurs honoraires de nuit, fonçant sur les cahots des routes qui menaient à l'arrière-pays, dialoguant sur les fréquences radio, refermant leur étau sur l'énorme pendeloque.

Toutefois, le vénérable équipage de petits botanistes ne paraissait pas s'inquiéter outre mesure, du moins pas encore. Ils avaient le temps, ils le savaient. Ils pouvaient évaluer au quantum près le temps qui restait avant que le vacarme insupportable des véhicules terrestres commence à leur écorcher les oreilles. Ils n'en étaient pas à leur premier voyage, car vaste est la Terre et innombrables sont les espèces qu'il faut recueillir si on veut avoir la collection complète.

Ils poursuivaient leur échantillonnage, un petit nuage de brouillard protecteur s'échappant de tout un chacun tandis qu'ils rentraient au bercail chargés du précieux tribut arraché au sol de la Terre.

Ils montaient l'échelle de coupée, entraient dans la belle lumière pastel. Ils parcouraient, l'air dégagé, les corridors pulsatiles emplis de merveilles technologiques et menant, au centre du Vaisseau, vers la merveille des merveilles, une gigantesque cathédrale à la gloire de la flore terrestre. Au cœur de l'astronef, cette immense serre en était le but, la raison d'être.

Il y avait là des fleurs de lotus venues d'un lagon indien, des fougères ramassées sur le sol africain, de petites baies cueillies au Tibet, des buissons de mûres trouvés en plein désert au bord d'une route américaine. En fait, il y avait là un exemplaire de tout ce qui existe sur Terre; ou du moins, de presque tout, car la tâche était loin d'être achevée. Tout y « venait » à merveille. Introduit dans ce sanctuaire, fût-il venu des plus grands jardins botaniques du monde, l'expert y aurait trouvé des spécimens qu'il n'aurait jamais osé espérer rencontrer autrement que sous forme d'empreintes fossiles sur des échantillons d'anthracite. Ses yeux auraient probablement sauté de leurs orbites à la vue des espèces qui s'épanouissaient ici : celles dont les dinosaures faisaient leur ordinaire, celles qui ornaient les premiers jardins terrestres, il y a un nombre incalculable de siècles. Evanoui, il aurait fallu le ranimer avec des herbes venues des jardins suspendus de Babylone.

Du plafond ventilé ruisselaient des gouttelettes d'humidité chargées d'éléments nutritifs destinés aux innombrables spécimens qui embellissaient chaque centimètre carré au cœur du Vaisseau : le plus parfait rassemblement de végétation jamais vu. L'antériorité en était aussi lointaine que celle de la Terre elle-même : flore aussi vénérable que les vénérables petits botanistes qui vaquent ici à leurs travaux, des plis au coin des yeux, à la semblance de fossiles, burinés par d'incommensurables ères de cueillette.

L'un d'eux entra; il rapportait une herbe du cru, dont les feuilles s'affaissaient déjà. Il la mit dans un évier et la baigna dans un liquide qui agit immédiatement sur la disposition des feuilles soudain ravivées, des racines soudain ondoyantes. En même temps, venue d'une fenêtre en rosace au-dessus du bac, une lumière pastel inonda la plante qui se redressa aux côtés de sa voisine, une petite fleur d'avant le déluge.

L'extra-terrestre la contempla un instant, s'assura que tout se passait bien, puis tourna les talons et retraversa la serre en sens inverse. Il marchait sous des cerisiers du Japon entrelacés de fleurs d'Amazonie; un raifort s'inclina gracieusement sur son passage. Il lui donna une petite tape amicale et continua sa progression dans le corridor pulsatile, puis descendit la passerelle lumineuse.

Dans l'air nocturne, son corps émit à nouveau un léger brouillard, camouflage à l'abri duquel il retourna à sa cueillette. Un de ses coéquipiers venait à sa rencontre, portant une racine de panais sauvage. Leurs regards ne se croisèrent pas, mais leurs poitrines s'éclairèrent simultanément d'une lueur rouge venue de la région du cœur et affleurant sous la mince peau translucide. Ils passèrent leur chemin, qui avec le panais, qui les mains vides sur la pente rocailleuse, et les cœurs-lumière s'éteignirent. Emmitouflé dans son nuage de brume, il entra jusqu'aux yeux dans les herbes hautes d'où il ressortit à la lisière d'une forêt de séquoias. Se découpant sur l'énorme futaie, sa silhouette paraissait plus minuscule encore : il se tourna vers l'astronef et son cœur-lumière se mit à briller derechef comme s'il faisait signe à la nef elle-même, au cher vieux brimborion bien-aimé grâce à qui il naviguait depuis tant de siècles. Sur les coursives, dans les écoutilles, d'autres cœurs-lumière s'allumèrent comme des lucioles dansant çà et là. Rassuré par cette couverture toute proche, sachant qu'il avait le temps avant l'approche du danger, il entra dans la forêt de séquoias.

Les engoulevents chantaient, les insectes stridulaient, craquetaient sous les ombrages; il poursuivait sa marche, son ventre naturellement rebondi rasant le sol, à la façon des farfadets, particularité tout à fait satisfaisante qui lui assurait un centre de gravité bas et stable. Toutefois, cette conformation n'était pas de celles goûtées ordinairement pas les Terriens. Les grands pieds palmés semblaient émerger directement d'une bedaine rebondie qui avait tendance à tomber, et les grandes mains simiesques traînaient de chaque côté. Aussi sa timidité et celle de ses congénères se perpétuait-elle depuis des millions d'années; ils n'avaient jamais eu particulièrement envie, ni les uns ni les autres, d'entrer en contact avec qui que ce soit sur la planète, excepté dans le monde végétal. Echec, peut-être, mais ils avaient une assez grande expérience des choses pour savoir qu'aux yeux des Terriens, le Vaisseau était avant tout une cible de choix, et ses occupants du gibier pour taxidermiste, à mettre sous globe.

Aussi c'est avec prudence et silencieusement que l'extra-terrestre se déplaçait dans cette forêt, le regard à l'affût. Ses yeux globuleux, excessivement saillants, étaient plutôt de ceux que vous vous seriez attendus à trouver sur une grenouille géante, sautillant dans les parages. Il évaluait parfaitement les chances de survie d'une grenouille de ce genre, à supposer qu'elle allât s'égarer dans les rues de la ville : il ne donnait pas beaucoup plus cher des siennes. Quant à briguer un siège d'organisation internationale et prétendre dicter ses instructions à l'humanité, c'était hors de question avec le nez qu'il avait, cabossé comme un chou de Bruxelles, sans parler de sa silhouette de poire blette.

Il déambulait, parfaitement à l'abri des regards, balayant le tapis de feuilles du dos de ses grandes mains ballantes. Laissons à d'autres visiteurs de l'espace, d'allure plus familière, le soin d'endoctriner les foules humaines. Tout ce qui l'intéressait pour l'instant, c'était ce petit plant de séquoia qu'il avait repéré depuis un moment, de son œil protubérant.

Il s'arrêta près de lui, l'examina soigneusement, puis creusa tout autour pour l'extirper, lui parlant à voix basse dans sa langue spatiale aux accents rauques, aux vocables à la morphologie étrange, inconnue des Terriens; le séquoia semblait comprendre, et l'état de choc provoqué par l'arrachage de son système radiculaire semblait neutralisé tandis qu'il reposait au creux de la grande paume ravinée.

Il tourna les talons, et une faible lumière frappa son regard, une lumière qui exerçait sur lui une attirance, une lumière venue du petit groupe de maisons, dans la vallée, derrière les arbres. Il y avait longtemps qu'elle excitait sa curiosité et c'était la dernière nuit où il pourrait y aller voir; demain, une ère d'exploration s'achevait. L'astronef allait quitter la Terre pour une très longue période, pour des siècles, puisqu'il ne reviendrait qu'à l'occasion de la prochaine grande mutation dans la végétation terrienne. C'était l'ultime occasion qui lui était donnée de satisfaire son péché mignon : aller lorgner en catimini, embusqué derrière les fenêtres.

Il se coula à pas de loup hors du bois de haute futaie, et se laissa descendre en bordure d'une piste pare-feu, frayée à flanc de coteau. Un océan de petites lumières jaunes brillait, tentateur. Il traversa la piste déboisée, sa bedaine rasant les broussailles; il aurait quelque chose à offrir à ses compagnons de route pour le long voyage de retour qui les attendait : le récit de ses aventures dans les petites lumières, l'équipée solitaire d'une poire blette sur la route des hommes. Ses yeux de vénérable fossile se plissaient malicieusement.

Il descendit le long de la piste pare-feu sur la

pointe de ses grands pieds palmés aux longs orteils. La Terre n'était pas parfaitement adaptée à sa conformation; il avait été façonné sur une autre planète, en des lieux où un tel genre de pieds avait sa raison d'être, car tout y était plus fluide, et vous pouviez en quelque sorte vous déplacer en clapotant grâce à ces nageoires, vous n'aviez que rarement l'occasion de vous dandiner sur le sol ferme.

Là-bas les lumières clignotaient et pendant un instant son cœur-lumière battit à l'unisson, rouge rubis. Il aimait la Terre et tout spécialement sa vie végétale, mais il aimait aussi les humains, et comme toujours lorsque sa lumière s'allumait, il aspirait à leur enseigner sa science, à les guider, à leur communiquer l'intelligence qu'il avait emmagasinée pendant des millénaires.

Son ombre s'étirait dans le clair de lune, en avant de lui, tête en forme d'aubergine sur la longue tige du cou. Quant à ses oreilles, elles restaient enfouies dans les plis de la tête, comme les pousses timides d'un bébé-haricot du Pérou. Quelle pinte de bon sang se paierait la Terre, s'il lui venait à l'idée de gravir les voies royales du gouvernement du monde. Quand les gens se mettent à rire de votre silhouette, tout ce que l'univers peut renfermer d'intelligence n'y suffirait pas.

Pour l'heure, sa silhouette, un léger brouillard la dissimulait dans le clair de lune, et il continuait à descendre. Il reçut à l'intérieur de sa tête le signal venu du Vaisseau, mais il savait que l'alarme était prématurée, elle était calculée pour laisser du temps aux plus lambins. Mais lui – il balança en avant un monstrueux pied palmé, puis l'autre – lui, c'était un rapide.

Naturellement, en comparaison des normes en vigueur sur la Terre, il était d'une lenteur impossible. Un enfant se serait déplacé trois fois plus vite; d'ailleurs, une terrible nuit, l'un d'eux avait failli l'écraser avec son vélo. Ce n'était pas passé loin, vraiment.

Mais pas cette nuit. Cette nuit, il ferait attention.

Il s'arrêta pour écouter. Le signal d'avertissement reprit, faisant à nouveau battre son cœur-lumière. Cette fois, c'était le code-alarme. L'instrument palpitait légèrement, battant le rappel, second avertissement. Il y avait encore largement le temps pour les gens rapides; il déambulait en se dandinant, gauche, droite, gauche, les jointures noyées dans le tapis de feuilles tandis qu'il se dirigeait vers la périphérie de la ville. Il était vieux, mais il marchait à bonne allure, plus vite que bien des botanistes de son âge (dix millions d'années) aux pieds de canard sauvage.

Ses grands yeux ronds roulaient dans leurs orbites, explorant la ville, le ciel, les arbres et le terrain immédiatement devant lui. Il n'y avait personne en vue, il était seul, il allait jeter un rapide coup d'œil chez un habitant de la Terre, et puis « ciao » pour plusieurs rounds. Le Vaisseau bien-aimé repartirait. L'emmenant loin d'ici.

Brutalement, ses yeux exorbités furent attirés par un rai de lumière droit devant lui qui se rapprochait sur la piste pare-feu, suivi d'un autre, lumières jumelles fonçant sur lui, venues de nulle part. Simultanément son cœur-alarme se mit à battre la phase d'alerte panique : rassemblement, danger, danger, danger.

Il trébucha en arrière, puis vacilla sur le côté,

désorienté : cette fois, la lumière fonçait à toute allure, ça n'avait rien à voir avec un vélo; le bruit était beaucoup plus fort et tout cela était beaucoup plus violent. La lumière se faisait maintenant aveuglante, âpre lumière terrestre, froide et dure. Il trébucha à nouveau et tomba sur le bas-côté, dans les broussailles; les phares zébraient l'espace qui le séparait du Vaisseau, l'isolant de la forêt de séquoias et du terrain déboisé où planait le grand ornement, en attente du départ.

Danger, danger, danger.

Son cœur-lumière clignotait à tout va. Il tendit le bras pour ramasser le petit plant de séquoia tombé sur l'allée, ses racines l'appelaient au secours en pleurant. Il avança ses longs doigts puis les retira vivement dans un nuage de brume : la lumière aveuglante piquait droit sur lui maintenant, et les engins rugissaient. Il roula dans les broussailles, couvrant frénétiquement son cœur-lumière avec une branche tombée. Ses grands yeux enregistraient tous les détails, cliquetant comme un appareil photo, tous azimuts, mais rien ne pouvait être plus horrible que la vue du petit plant de séquoia, écrasé par les voitures, ses jeunes feuilles lacérées, trouvant encore la force de lui crier de tout son être : danger, danger, danger.

Le chemin – un chemin désert à l'accoutumée – était maintenant noyé de lumière, toujours davantage, et retentissait du vacarme des voitures; le brouhaha des voix humaines faisait rage, gueulantes, assoiffées de capture.

Empêtré dans les buissons, il tentait d'avancer, continuant à couvrir son cœur-lumière tandis que les projecteurs implacables balayaient la lande à sa recherche. Ici, dans l'élément étranger, l'intelligence des étoiles des sept galaxies n'eût été d'aucun secours, il ne pouvait pas avancer plus vite. Ses palmes de canard étaient absurdes d'inefficacité, absolument inaptes à rivaliser sur le sol avec la rapidité des pieds humains qui l'encerclaient, il le sentait.

Il pouvait entendre leur martèlement et les froides zébrures de lumière quadrillaient la brousse à un rythme accéléré. Les hommes beuglaient dans leur langage hostile et l'un d'entre eux était sur la bonne piste. Il faisait en marchant un cliquetis de ferraille et, dans un rapide éclair de lumière, le vieux botaniste aperçut quelque chose qui pendait à sa ceinture, quelque chose comme un trousseau de dents aux arêtes vives et tranchantes, trophées, à n'en point douter, arrachés à quelque infortunée créature de l'espace et montés sur anneau.

Il est temps, il est temps, il est temps : le Vaisseau battait le rappel des traînards.

Il profita d'un bref reflux des lumières pour se jeter à la lisière de la piste.

Les véhicules s'étaient éparpillés, comme leurs conducteurs. Il fit fonctionner son dispositif de brume protectrice et se glissa sur l'allée éclairée par la lune, tout enveloppé des vapeurs malodorantes échappées des engins – nuage délétère qui renforçait momentanément son camouflage. Voilà : il avait traversé; il se laissa glisser sur le bas-côté, dans le fossé.

Presque immédiatement, les projecteurs pivotèrent comme s'ils savaient qu'il avait traversé la route, et en quel point. Il se terra dans le sable, entre les rochers, tandis que les Terriens enjambaient le ravin. Ses gros yeux orbitèrent droit à la verticale et il vit l'horrible trousseau de dents qui brinquebalait, grimaçant hideusement, tandis que leur propriétaire sautait là, juste au-dessus.

Il s'accroupit plus profond dans le rocher, emmitouflé dans son petit brouillard, tout pareil aux autres petits nuages de brume qu'on voit dans les ravins, la nuit, là où l'humidité s'accroche. Oui, Terriens, je ne suis qu'un nuage, un de vos nuages à vous, insignifiant, ne le sondez pas avec vos lumières, car à l'intérieur il y a un long cou et deux pieds palmés aux doigts de pied aussi longs et aussi fuselés que la racine violette de la mandragore. Vous ne pourriez pas comprendre, j'en suis sûr, que je suis ici, sur la planète, pour sauver votre flore avant que vous ayez réussi à l'annihiler complètement.

Armée de pied en cap, toute la troupe enjambait maintenant le fossé; au-dessus de lui il entendait les lugubres voix excitées par la chasse.

Il attendit le passage du dernier poursuivant et remonta en détalant. Il entra dans la forêt sur leurs talons. Son seul avantage sur eux était la connaissance qu'il avait de ce terrain bien-aimé où il était tant de fois venu faire sa récolte. Ses yeux pivotaient rapidement, repérant la sente, une vague foulée dans le treillis de branches qui quadrillait l'obscurité, un chemin que ses coéquipiers et lui avaient frayé lors du transport des plants.

Les vilaines lumières crues lardaient l'obscurité sous tous les angles. A présent, les Terriens avaient perdu sa trace et il allait regagner directement le Vaisseau.

Son cœur brillait d'une lumière plus vive à mesure qu'il entrait toujours plus avant dans le champ magnétique de l'équipage, tous les cœurs battant le rappel, tous les cœurs et aussi toute la vie végétale qui était à bord, forte de ses millions d'années d'âge : danger, danger, danger.

Il se hâtait, essayant de passer entre les faisceaux des projecteurs, le long du seul sentier dégagé de la forêt; ses orteils-racines ressentaient chaque irrégularité du terrain avec une sensibilité exquise. Chaque fouillis de feuilles, chaque toile d'araignée étaient connus de lui. Il percevait leurs doux signaux qui le guidaient dans sa course à travers la forêt : par là, par là.

Il obéissait. Ses jointures balayaient le sol meuble, longues racines à la traîne, ratissant le terrain, vibrant des messages de la forêt, tandis que son voyant central flamboyait, brûlant de se fondre avec tous ces cœurs qui l'attendaient sur le terrain déboisé où le Vaisseau était à l'ancre.

Il avait gagné du terrain sur la froide lumière dont les faisceaux allaient se perdre dans des branchages qui ne l'abritaient plus et qui maintenant repoussaient les poursuivants; des rameaux jaillissaient, se soudaient entre eux et bloquaient le passage; une racine basse s'éleva légèrement et fit un croc-en-jambe à l'homme au trousseau de dents; une autre racine enserra la jambe de son adjoint qui tomba face contre terre, poussant force jurons dans la langue de la planète, tandis que toutes les plantes criaient : dépêche-toi, dépêche-toi.

L'extra-terrestre courait à travers la forêt, vers le terrain déboisé.

Le majestueux brimborion, joyau de la galaxie, l'attendait. Il accourut en se dandinant vers la sereine lumière riche de dix millions de lumières. Toutes les prodigieuses énergies convergeaient à cet instant pour émettre des ondes aux radiances sublimes. Il marchait maintenant dans l'herbe pour se rendre visible du Vaisseau; il essayait d'allumer son cœur-lumière pour établir le contact, mais voilà que ses longs et ridicules doigts de pied étaient pris dans un fouillis de ronces qui ne voulaient plus le laisser partir.

Reste, disaient-elles, reste avec nous.

Il se dégagea d'un coup sec et arriva aux franges de l'aura lumineuse du Vaisseau, à la lisière de la prairie. Le radieux ornement resplendissait à travers les tiges d'herbe, déployant son glorieux arc-en-ciel. Le vénérable savant surveillait la coupée où son camarade d'équipage clignotait du cœur, l'appelant, cherchant désespérément à l'apercevoir.

J'arrive, j'arrive.

Il avançait comme il pouvait dans l'herbe, mais son ventre pendant, façonné pour d'autres pesanteurs, le ralentissait; soudain une décision de groupe le submergea, il en fut pénétré jusqu'aux os.

La coupée se refermait, pétales repliés vers l'intérieur.

Le Vaisseau s'éleva dans les airs juste au moment où le petit botaniste jaillissait de la prairie, agitant follement sa main aux doigts fuselés. Mais, du Vaisseau, on ne pouvait plus le voir. L'énorme poussée d'énergie était à l'œuvre, une lumière aveuglante oblitérait tout détail du paysage. La Nef plana un moment, comme pour faire le point, puis s'éleva en tournoyant au-dessus du faîte des arbres. Le bel ornement retournait aux branches les plus hautes de la nuit.

L'être resta debout dans l'herbe; son voyant palpitait peureusement.

Il était seul, à trois millions d'années-lumière de chez lui.

18

2

Mary lisait un journal dans sa chambre, jambes
surélevées, écoutant d'une oreille les voix de ses
deux fils qui jouaient avec leurs copains à *Donjons
& Dragons* (1) dans la cuisine, en bas.

– Bon, tu es arrivé à la lisière de la forêt, dit une
des voix, mais tu as vraiment fait une connerie, et
puisque c'est comme ça, j'appelle les Monstres
Errants à la rescousse.

Monstres Errants, pensa Mary, et elle tourna la
page.

Et les Mères en Souffrance? Divorcées, avec des
pensions alimentaires dérisoires? Vivant sous le
même toit que des enfants qui ne parlent pas le
même langage...

– Est-ce que je peux faire intervenir les Monstres
Errants pour venir en aide seulement à un gobelin (2)?

– Le gobelin est un mercenaire à la solde des
Voleurs. Alors t'as de la veine d'avoir seulement
affaire aux Monstres Errants.

Mary soupira et replia le journal. Gobelins, mercenaires, orques ou tout ce qu'on voudra, elle en
avait sa claque de les entendre tous les soirs, dans
sa cuisine, elle en avait par-dessus la tête, d'eux et
des vestiges de leur cité en ruine : bouteilles de
Crush, sacs de chips vides, livres, papiers, calcula-

---

(1) Jeu stratégique avec monstres, sortilèges, sorciers, etc. Très répandu
aux États-Unis. *(N.d.T.)*
(2) Gobelin, de l'anglais *goblin* : lutin, farfadet. *(N.d.T.)*

trices de poche et horribles sortilèges épinglés à son tableau d'affichage. Si les gens pouvaient imaginer ce que c'était, élever des enfants, personne ne voudrait jamais en avoir.

Maintenant le groupe chantait à tue-tête :

Kathy avait onze ans quand elle se laissa couler
Vingt-six dragées rouges et une bouteille
de vin (1).

Charmant, pensa Mary, grinçant des dents à l'idée d'un de ses chers trésors croquant une poignée de dragées bleues ou rouges, par une belle nuit, ou une poignée de n'importe quoi d'ailleurs, LSD, DMT! Qui sait ce qu'ils rapporteraient à la maison la prochaine fois? Un orque peut-être.

– Steve est Maître de Donjon, il a le Pouvoir Absolu.

Le Pouvoir Absolu. Mary étira ses pieds douloureux et remua les orteils. En tant que chef de famille, c'est *elle* qui aurait dû avoir le Pouvoir Absolu. Mais elle était incapable d'obtenir d'eux qu'ils essuyassent la moindre assiette.

Un orque, voilà ce que je suis.

A quoi la créature pouvait-elle bien ressembler? Elle n'en avait qu'une notion très vague, mais elle avait idée que ça ne devait pas être sans rapport avec la façon dont elle se sentait. Absolument orquesque.

Juste sous le plancher de sa chambre, les voix poursuivaient le rêve insensé.

– Ces Monstres Errants, ils appartiennent à quelle espèce?

(1) Allusion à *L'Île au trésor* de Stevenson. *(N.d.T.)*

20

– Ce sont des humains, dit le Maître de Donjon.

– Ah! la pire espèce! Ecoutez leurs caractéristiques : mégalomanes, paranoïaques, kleptomanes, chtizoïdes.

– *Schizoïdes*, précisa Mary, s'adressant au papier peint.

Justement, c'est comme ça que je commence à me sentir, songea-t-elle. Est-ce que j'ai élevé des enfants pour qu'ils deviennent Maîtres de Donjon? C'est pour ça que je travaille huit heures par jour?

Peut-être que ça serait moins terrible si mon existence pouvait être aussi... aussi spontanée que la leur. Avec des téléphones-surprises de mes admirateurs.

Elle récapitula la liste de ses admirateurs, mais il fallait avouer qu'il y avait quelque chose qui clochait et qu'eux aussi étaient passablement orquesques.

– O. K.! alors je cours, je dépasse les humains et je leur lance dessus mes petites flèches pour qu'ils me pourchassent. Mes flèches de cuivre.

Mon petit, pensa Mary, tendant l'oreille vers la petite voix flûtée. Mon bébé. Qui lance des flèches de cuivre. Elle avait l'impression d'en avoir reçu une juste dans la glande thyroïde, ou quelque chose comme ça : toute son énergie foutait le camp dans des trous à orques. Dieu! Comme elle avait besoin d'un remontant.

– Je descends la route en courant. Ils me poursuivent. Juste au moment où ils vont m'attraper, et où ils sont vraiment excités comme des malades, je jette par terre mon trou de secours.

Trou de secours?

Celle-là alors! Mary se pencha au bord du lit pour

en entendre un peu plus. Ça lui avait tout l'air d'être vaguement obscène.

– Je me fourre dedans et je tire le couvercle. Vite fait. Disparu dans l'air raréfié.

Si seulement je pouvais en avoir un pour me fourrer dedans tous les jours vers 4 heures et demie.

– Tu peux pas rester dans un trou de secours pendant plus de dix mêlées de combat, Elliott.

Tout ce que je demande, c'est dix minutes au bureau, et peut-être après, dans les embouteillages...

Elle balança les pieds hors du lit, fermement décidée à affronter la soirée à la loyale, sans symptômes d'angoisse.

Mais... et l'amour là-dedans?

Où était le mâle fatal et conquérant dans tout ça?

Il allait, se dandinant, sur la piste déboisée. Le chemin était silencieux maintenant, ses poursuivants étaient partis, mais il ne pourrait tenir longtemps dans cette atmosphère. La pesanteur terrestre allait le gagner et le sol trop dur déformerait sa colonne vertébrale jusqu'à la lordose; ses muscles s'affaisseraient et on finirait par le retrouver quelque part dans un fossé, sans pouvoir identifier autrement cette large boursouflure écrabouillée. Drôle de fin pour un botaniste intergalactique.

La piste plongeait vers la vallée. Il la suivit en direction des lumières du faubourg, en bas. Il maudissait tout haut ces lumières qui avaient exercé sur lui une attirance si fatale et qui l'attiraient encore. Pourquoi descendait-il vers elles? Pourquoi ses doigts de pied fourmillaient-ils d'une telle impatience et pourquoi le voyant lumineux de son cœur battait-il si fort? Qu'est-ce que tout cela pouvait lui apporter dans son étrange situation?

La piste pare-feu s'achevait dans des buissons et des arbrisseaux bas. Il s'y glissa à la dérobée, gardant la tête baissée, une main sur son cœur-lumière. Il battait avec enthousiasme, et il le maudit tout haut, lui aussi. Lumière, lui disait-il, vous n'êtes qu'un sale feu arrière de bicyclette.

Les bizarres silhouettes des maisons des Terriens se profilaient maintenant droit devant lui, collées au sol par la pesanteur, combien différentes des gracieuses terrasses flottantes de...

Ce n'était pas bon de penser comme ça au pays. Ces souvenirs étaient une torture.

Les lumières des maisons, ces pièges à phalènes, se rapprochaient, elles paraissaient plus grandes maintenant et devenaient encore plus fascinantes. Il avança dans les broussailles, puis passa en trébuchant une sorte de dune sablonneuse, laissant derrière lui la trace baroque de ses longs orteils sur le chemin tortueux qui menait aux habitations.

Il se trouva soudain au bas d'une clôture qu'il lui fallut escalader. Comme ses longs doigts et ses longs orteils étaient commodes pour trouver... les... bonnes prises sur... l'obstacle...

Il s'était hissé en haut de la clôture comme le pampre de la lambrusque mais il bascula de l'autre côté sur le dos, les pieds fauchant le vide. Il heurta le sol, les quatre fers en l'air, un gémissement de douleur sur les lèvres, et roula comme une citrouille dans l'allée.

Je suis fou. Qu'est-ce que je fiche là?

Il freina sa course et frissonna sur le sol hostile. La maison des Terriens était redoutablement proche, les ombres et les lumières dansaient devant ses

23

yeux frappés de terreur. Pourquoi son cœur-lumière l'avait-il conduit ici? Les maisons des Terriens étaient grotesques, horribles.

Mais, de la cour-jardin, quelque chose lui envoyait de doux signaux.

Il se retourna et vit le potager. Feuilles et tiges remuaient et prenaient de timides poses qui témoignaient de leur sympathie; pleurant à chaudes larmes, il étreignit un artichaut.

Caché dans le carré de légumes, il consulta la plante. Mais sa suggestion d'aller jeter un coup d'œil par la fenêtre de la cuisine fut mal accueillie.

Si j'en suis là, signala-t-il à l'artichaut, c'est bien parce que j'ai voulu aller coller mon œil derrière les fenêtres. Je ne peux plus me permettre ces folies.

L'artichaut insista, le réprimanda doucement et l'extra-terrestre finit par obtempérer; il s'éloigna furtivement en roulant des yeux effarés.

La lampe de la cuisine éclairait la cour d'un carré de lumière d'aussi mauvais augure que n'importe quel trou noir du cosmos. Le vertige gagnait ses membres tandis qu'il plongeait dans ce gouffre indicible à l'autre bout de l'univers. Ses yeux tombèrent sur un baromètre en plastique. Une souris et un canard se faisaient face, en équilibre. C'était le canard qui était sorti, portant un parapluie.

Assis à une table, au milieu de la pièce, cinq Terriens étaient occupés à un étrange rituel. Les créatures parlaient d'une voix animée et déplaçaient sur la table de menues idoles. Ils agitaient des feuilles de papier, porteuses de sombres secrets, à n'en point douter, car chacun d'eux en tenait les signes écrits à l'abri des regards de son voisin.

Un cube magique fut secoué et lancé, et ils regardèrent tous atterrir la forme hexagonale... et voilà. Ils se remirent à parler tout fort, à consulter leurs tablettes et à déplacer leurs idoles tandis que les accents inconnus et hostiles de leur bizarre langage résonnaient dans la nuit.

– J'espère que tu vas étouffer dans ton trou de secours!

– Ecoutez ça : folie, délire hallucinatoire...

– Ouais, continue.

– Celui qui est affligé de cette forme de maladie mentale voit, entend et aussi sent des choses qui n'existent pas.

Il se laissa retomber dans l'obscurité.

La planète était indiciblement étrange.

Pourrait-il jamais apprendre le rituel, être admis à jeter le dé à six faces, être initié, enfin?

La maison émettait des ondes d'une monstrueuse complexité qui lui arrivaient par vagues, codes et signaux intriqués. Il avait plus de dix millions d'années d'âge et avait navigué en bien des lieux, mais jamais il n'avait rencontré quelque chose d'aussi embrouillé.

Submergé, il regagna furtivement le carré de légumes; ses méninges avaient besoin de répit. Il n'en était pas à sa première incursion dans un intérieur terrien, mais jamais il n'avait approché d'aussi près les bizarres modes de pensée de ces gens.

Ce sont des enfants, dit un concombre qui se trouvait là.

Le vénérable botaniste laissa échapper un gémissement. Eh bien, qu'est-ce que ça allait être avec les adultes! Quels impénétrables dédales l'attendaient encore!

Il s'effondra aux côtés d'un chou et baissa la tête.

C'en était fait. Qu'ils viennent donc demain matin, qu'on l'emmène, qu'on le fasse empailler et que ce soit fini.

Mary prit une douche dans l'espoir de ranimer ses esprits. Puis, enfermant ses cheveux dans une serviette, elle posa le pied sur le tapis de bain que Harvey, le chien, avait mis en pièces.

Les franges tout abîmées chatouillaient ses orteils tandis qu'elle se séchait et enfilait son kimono imitation soie naturelle. Elle se tourna vers la glace de la salle de bains.

Qu'est-ce qu'elle allait encore pouvoir se trouver ? Allait-elle une fois de plus détecter ce soir une nouvelle ride, un léger affaissement, quelque horrible érosion qui achèverait de la déprimer ?

Les dégâts semblaient minces, mais on ne pouvait jamais savoir; il était impossible de soupçonner même à l'avance la moindre des atrocités enfantines – bagarre, drogues, musique insupportable poussée au maximum – qui pouvait s'emparer de la maison à n'importe quel moment et hâter sa décadence physique et mentale. Elle s'étendit sur le visage une crème outrageusement coûteuse et pria pour qu'on lui laisse paix et tranquillité.

Paix et tranquillité immédiatement compromises par le chien Harvey, furieux d'avoir été exilé sous le porche derrière la maison, et qui aboyait à tue-tête.

– Harvey! cria-t-elle de la fenêtre de la salle de bains, ta gueule!

L'animal était d'une ridicule méfiance à l'égard de tout ce qui passait dans le noir; à croire que le voisinage était peuplé de maniaques sexuels. Encore se serait-il contenté d'aboyer au passage des maniaques sexuels, il aurait peut-être pu servir à quelque chose... Mais il aboyait à la camionnette des pizzas, aux avions, aux pâles satellites aperçus dans le lointain; c'était vraiment ça, le délire hallucinatoire, elle en avait bien peur...

Sans parler des tapis de bain.

Elle rouvrit la fenêtre, brusquement :

– Harvey, pour l'amour du ciel, ferme-la.

Elle referma bruyamment les vitres et sortit de la salle de bains.

Ce qui l'attendait de l'autre côté du couloir n'était pas très enthousiasmant, mais il fallait assumer.

Elle ouvrit la porte de la chambre d'Elliott.

Ce n'étaient qu'entassements d'objets de toutes sortes, plus inutiles les uns que les autres, et tous dans un état de décrépitude avancée. La chambre-de-garçon-type. Comme elle aurait aimé pouvoir la fourrer dans un trou de secours.

Elle commença.

Organiser, jeter, ranger : elle suspendit les astronefs au plafond, fit rouler le ballon de basket dans le placard. Pour les panneaux routiers volés, elle n'avait pas d'idées... Elle espérait que l'enfant ne faisait pas une fixation anale ou quelque chose de ce genre. Elle savait bien, au fond, que toutes les conditions étaient réunies pour qu'il en soit ainsi : pas de père, aucune gaieté, et cette manie de toujours aller traîner avec les Monstres Errants chaque fois qu'il avait un moment de libre. Tout bien pesé, il n'était même pas gentil.

Mais ce n'était peut-être qu'un « stade » ?

Naturellement il n'y eut pas de réponse à cette question.

Elle glapit : « Elliott ! », faisant monter sa tension artérielle et creusant les rides autour de sa bouche.

Les pas d'Elliott retentirent comme un coup de tonnerre dans les escaliers, la tornade se rapprocha et il fusa dans l'encadrement de la porte. Quatre pieds de haut, adorable en un sens, bien qu'on ne pût voir grand-chose de lui pour le moment, il passait juste la tête et regardait d'un air méfiant ce qu'elle avait fait de sa bien-aimée camelote.

– Elliott, tu as vu ta chambre ?

– Ouais, mais maintenant, je ne pourrai plus trouver aucune affaire.

– Plus aucune assiette sale, les vêtements à leur place, le lit fait, le bureau tout propre...

– Ouais, ça va, ça va...

– Voilà. Comme ça, c'est la chambre de quelqu'un d'équilibré. Et ça doit rester comme ça tout le temps.

– Pourquoi ?

– Pour qu'on puisse avoir le sentiment de ne pas vivre en permanence dans une boîte à ordures. Compris ?

– Ouais, ouais, j'ai compris.

– C'est une lettre de ton père ? (Mary montrait sur le bureau l'écriture qu'elle reconnaissait pour l'avoir si souvent vue au bas des bordereaux de la carte de crédit.) Qu'est-ce qu'il raconte ?

– Rien.

– Je vois. (Elle essayait de prendre l'air dégagé, de changer de conversation.) Tu veux pas qu'on repeigne, ici ? Ça devient légèrement cradingue...

– Super !

– Quelle couleur ?

– Noir.

– Ravissant. Signe de santé.

– J'aime ça, le noir. C'est ma couleur préférée.

– Tu recommences à loucher. Tu n'avais pas mis tes lunettes?

– Si.

– Mary! (Le Maître de Donjon l'appelait d'en bas.) Y a ta chanson qui passe à la radio!

Elle mit le nez à la porte.

– Tu es sûr?

– Ta chanson, M'man, fit Elliott. Viens.

Elle entendait faiblement la musique des *Persuasions* qui montait de la cuisine. Elle scanda le rythme, face à Elliott.

– Ton père propose que vous alliez le voir, vous les garçons?

– A Thanksgiving (1).

– Thanksgiving? Il sait bien que Thanksgiving c'est moi.

Mais est-ce qu'il avait jamais eu la moindre suite dans les idées? Sauf pour la signature au bas des bordereaux de la carte de crédit. Il en avait usé des stylos à bille! Tout ça pour des pièces détachées de moto.

Elle pensa à lui. Il devait tourner sur son engin quelque part au clair de lune, avec ses paupières lourdes... Elle poussa un soupir... Oh bon!

Pour Thanksgiving, elle irait dîner à *l'Automate*. Ou au restaurant chinois : dinde farcie au glutamate de sodium.

Elliott s'esquiva, et Harvey recommença à aboyer. Une voiture était en vue.

L'extra-terrestre plongea immédiatement dans les

---

(1) Fête célébrée aux USA, le quatrième jeudi de novembre (jour de l'action de grâces). *(N.d.T.)*

rangées de légumes et s'aplatit au maximum, tentant d'arranger quelques feuilles autour de lui pour cacher ses formes rebondies.

– Mais tu n'as rien à craindre, dit un plant de tomate. C'est la voiture des pizzas.

Comme il n'avait pas la moindre idée de ce que ça pouvait être, la voiture des pizzas, l'extra-terrestre resta sous ses feuilles.

La voiture stoppa. La porte de la maison s'ouvrit et un Terrien sortit sur le seuil.

– C'est Elliott, dirent les haricots verts. Il habite là.

L'extra-terrestre jeta un coup d'œil à travers les feuilles. Le Terrien n'était pas beaucoup plus grand que lui. Naturellement, ses jambes étaient d'une longueur absolument grotesque et l'absence de l'élégante bedaine traînant à terre qui donne toute leur allure à certains spécimens de vie supérieure, était déplorable – mais dans l'ensemble, il n'était pas trop effrayant à voir.

Le garçon remontait l'allée carrossable. Il sortit du champ de vision.

– Va sur le côté, dit la tomate, tu pourras le voir rentrer.

– Mais le chien...

– Le chien est attaché, dit la tomate. Il a mangé les caoutchoucs de Mary.

L'extra-terrestre détala et fit le tour de la maison. Mais soudain les phares de la fourgonnette des pizzas balayèrent la cour tandis qu'elle manœuvrait dans l'allée et il fut pris de panique. S'arrachant de son poste d'observation, il commença à escalader la clôture. Mais un de ses longs doigts appuya par mégarde sur le loquet du portail et il bascula de nouveau dans la cour.

Le Terrien était là, tout près, et il regardait dans sa direction.

Il couvrit vivement son cœur-lumière, descendit de la porte où il était resté accroché et piqua une tête dans le hangar aux outils, où il alla s'accroupir, camouflé par le petit brouillard craintif. Il s'était pris lui-même au piège, mais dans le hangar il y avait des outils et un plantoir pour se défendre. A beaucoup d'égards, tout ça ressemblait aux outils qui se trouvaient sur le Vaisseau, car après tout, le jardinage, c'est le jardinage. Il saisit le manche du plantoir entre ses longs doigts, prêt à affronter l'assaillant. On ne badine pas avec un botaniste intergalactique aux abois.

– Ne te le laisse pas tomber sur le pied, ça coupe, dit un petit lierre en pot.

Il rassemblait ses forces. Du jardin lui parvenaient les ondes mentales d'un oranger tout proche tandis que l'enfant de la Terre arrachait un de ses fruits.

Un instant plus tard, le fruit projeté dans le hangar le frappait en pleine poitrine.

Le vénérable petit être culbuta à la renverse, tomba sur son gros derrière de potiron, et l'orange alla rebondir sur le sol du hangar.

Quelle humiliation, pour un botaniste de sa trempe, cette lapidation à coups de fruits trop mûrs!

Dans sa colère, il s'empara de l'orange, bascula avec force son long bras puissant et la renvoya vivement dehors, dans la nuit.

Le Terrien poussa un cri et détala.

– Maman! Au secours! Au secours!

Mary frémit des pieds à la tête. Quelle soudaine

accélération du processus de vieillissement allait-
elle encore devoir subir?

– Là, dehors, il y a quelque chose, gueula Elliott,
se précipitant dans la cuisine.

Il se retourna, claqua la porte et la ferma à
double tour.

Une faiblesse profonde s'empara de Mary, elle
regarda les Donjons et Dragons étalés là, et appela
désespérément de ses vœux un trou de secours
assez grand pour les contenir tous... Et maintenant,
qu'est-ce qu'elle était censée faire? Ça n'avait absolument pas été précisé au procès en divorce.

– Dans le garage à outils, dit Elliott. Il a jeté une
orange.

– Oh! Oh! persifla Tyler, le Maitre de Donjon. Ça
a l'air terrifiant.

Les garçons se levèrent de la table de jeu et
foncèrent vers la porte, mais Mary leur barra la
route.

– Arrêtez, vous allez me faire le plaisir de tous
rester ici.

– Pourquoi?

– Parce que je vous le demande.

Elle se redressa bravement, secoua la tête, et
saisit une lampe de poche. Si c'était un obsédé
sexuel, elle allait sortir et, telle la mère perdrix,
s'offrir... pour le prendre au piège.

Elle espérait vivement que ce ne serait qu'un
charmant garçon, tout juste légèrement obsédé.

– Reste ici, maman, dit Michael, l'aîné des garçons, on va y aller.

– Pas de condescendance avec moi, jeune
homme.

A ses côtés, un autre membre de la bande du

32

Donjon, le jeune Greg, avait saisi un couteau de boucher.

– Laisse ça, dit Mary en le foudroyant de son regard « Pouvoir Absolu ».

Ils la bousculèrent, passèrent devant elle, ouvrirent la porte et se ruèrent dans la cour. Elle leur emboîtait le pas et ne lâchait pas Elliott.

– Qu'est-ce que tu as vu exactement?

– Là-dedans.

Il montrait la remise à outils.

Elle dirigea sa lampe de poche sur les pots, les engrais, les houes, les pelles.

– Il n'y a strictement rien.

La voix de Michael retentit dans l'allée :

– La porte du jardin est ouverte!

– Regarde ces traces! s'écria le Maître de Donjon, se précipitant vers la porte.

Bien entendu, leur langage grossier restait toujours aussi impénétrable, mais du moins, embusqué maintenant sur la dune sablonneuse à flanc de coteau, le vénérable navigant de l'espace pouvait-il discerner clairement leurs silhouettes.

Ainsi donc, ils étaient bien là, tous les cinq, les cinq enfants de la Terre et...

Mais qui était cette exotique créature qui les escortait?

Son cœur-lumière se mit à briller et il le couvrit rapidement de la main.

Certes elle n'avait pas le nez cabossé comme un chou de Bruxelles et sa silhouette n'était nullement celle d'un sac de pommes de terre, mais...

Il crapahuta un peu plus près.

– O.K., la fête est finie. A la maison. Greg, donne-moi ce couteau.

Les syllabes qu'elle martelait d'une voix métallique restaient sans signification pour lui, mais il pressentait en elle la mère de tout cet équipage.

Où était le père, fort et dominateur?

– Elle l'a plaqué, il y a des années, dirent les haricots verts.

– Voilà la pizza, dit Greg. (Il la ramassa.) Elliott a marché dessus.

– La pizza? Quelle pizza? Les garçons, qui vous a autorisés à commander une pizza?

Mary passa dans la lumière du porche et, de sa cachette, l'extra-terrestre la contempla, toute pensée d'évasion provisoirement envolée.

– Allez, filez à la maison.

Mary pouvait s'estimer heureuse. Le pire était évité. Elliott avait encore fantasmé, un point c'est tout, donnant simplement à sa mère une occasion supplémentaire de creuser les rides de son front. Ça ne justifiait pas qu'elle continue à écraser tous les soirs de petites doses de Valium dans sa nourriture. C'était... un stade, voilà tout.

– Maman, je te jure, il y avait quelque chose là, dehors.

Tyler persiflait :

– Elliott, tu n'es qu'une pauvre poire à injection.

– Ha! dit Mary, pas de poire à injection chez moi!

Ils en savaient trop; elle se faisait avoir à tous les tournants. Tout ce qu'elle pouvait espérer, c'était d'être capable de garder une certaine réserve distante, mais elle se rendait bien compte que c'était impossible.

– Très bien, tout le monde, il est temps de rentrer chez vous.

– Mais on n'a pas encore mangé la pizza.

– Il y a des empreintes dessus, dit Mary, aspirant désespérément à sa tranquillité retrouvée.

Naturellement, ils ne tinrent aucun compte de ce qu'elle disait et commencèrent à manger la pizza écrabouillée. Elle se traîna vers les escaliers; elle se sentait vraiment écrabouillée, elle aussi. Elle allait se coucher, s'appliquer des compresses aux plantes sur les yeux, et compter les iguanes.

Sur le palier, elle se retourna vers eux :

– Quand ça sera fini, la pizza, tout le monde dehors.

Le Donjon grondait de ronchonnements sourds.

Comme il devait être exquis le temps où les enfants s'en allaient travailler dans les mines de charbon dès l'âge de neuf ans! Cette époque bénie était enfuie à jamais, elle le pressentait obscurément. Elle tituba jusqu'à sa chambre et s'affala sur le lit.

Une soirée comme une autre dans la vie d'une joyeuse divorcée.

Frissons glacés, état de choc et Monstres Errants.

Elle appliqua les compresses et écarquilla aveuglément les yeux au plafond.

Il lui sembla que quelque chose lui rendait son regard. Ce n'était que son imagination surmenée, bien sûr.

Et si ce satané chien ne s'arrête pas d'aboyer, je l'abandonne sur la route nationale avec un billet dans la gueule.

Elle respira à fond et commença à compter ses iguanes. Ils s'avançaient vers elle d'un air engageant.

La partie de Donjons et Dragons déménagea furtivement dans la salle de jeux; tout le monde jouait, sauf Elliott qui boudait dans sa chambre. Il s'endormit et d'étranges rêves vinrent troubler son sommeil, des rêves du genre : immenses perspectives avec lignes de fuite en enfilade formant porte après porte, conduisant à.....

L'espace. Il courait, mais les portes se dressaient devant lui, toujours en plus grand nombre.

Il n'avait pas l'exclusivité de cette tension nerveuse.

Le chien Harvey avait réussi à sectionner complètement sa laisse à force de la mâchonner et il avait déserté le poste qui lui avait été assigné sous le porche, derrière la maison. Il monta à la chambre d'Elliott sur la pointe des pattes, entra furtivement et gratta le sol; il contempla la silhouette endormie, puis les chaussures d'Elliott; mais s'il les mangeait, ça ferait trop de vagues. Il se sentait nerveux, mal à l'aise, et avait besoin de distractions.

Aboyer à la lune ne l'avait pas spécialement amusé ce soir. Quelque sorcellerie s'était introduite dans la cour. Harvey avait senti tout son poil se hérisser, il n'avait pu empêcher de petits gémissements plaintifs de s'échapper de son gosier, et il avait mis du temps avant de reprendre ses esprits et de pouvoir japper normalement. Il se demandait bien ce que ça avait pu être.

Il commença sans conviction une toilette de son arrière-train, attrapant quelques mouches entre deux coups de langue. Subitement, le bruit se fit à nouveau entendre.

Elliott avait entendu, lui aussi, et s'était dressé sur son lit.

Harvey se mit à grogner, le poil dressé, dardant peureusement ses prunelles autour de lui. Il avait besoin de mordre quelqu'un. Elliott sortit en douce de sa chambre, descendit les marches, traversa la maison et sortit par la porte de derrière, le chien sur ses talons.

Le vieil astronaute avait dormi sur le talus sablonneux mais, dès son réveil, il était retourné vers la maison.

Les lumières étaient éteintes. Il avait fait basculer le loquet avec son gros orteil, correctement cette fois, et il était entré dans la cour comme n'importe quel Terrien aurait pu le faire. Mais la silhouette pataude se profilait sur l'allée éclairée par la lune et lui disait assez la distance qui le séparait de ces créatures. Pour quelque raison inconnue, le ventre terrien n'avait pas évolué vers cette conformation, dans ce style si agréablement rebondi et retombant qui caractérisait son ample panse à lui, parfaitement en prise sur le terrain.

Les Terriens n'étaient que de malheureux haricots verts cramponnés à leurs caillebotis d'os et de muscles tendus à en claquer.

Lui, au moins, était un de ces êtres confortables et contemplatifs, à suspension basse.

Ainsi musardant, il traversa la cour. Il avait l'intention de tenir un nouveau conseil stratégique avec les légumes. Mais il marcha par mégarde sur le fer à moitié enterré d'un outil de jardin dont le manche se précipita vers lui à une vitesse inouïe.

Atteint à la tête, il tomba à la renverse en poussant un hurlement intergalactique, et alla atterrir non loin de là, dans le carré de maïs. Quelques secondes plus tard, la porte de derrière s'ouvrait et un Terrien se précipitait, suivi d'un chien poltron.

Elliott fonça dans la cour, lampe au poing. Il la braqua sur la remise.

Le rayon glacé inspectait une fois de plus les outils, et Harvey se lança dans la bagarre, attaquant le sac de tourbe. Il y fit un trou, après quoi il se sentit beaucoup mieux, bien qu'il lui restât une grosse bouchée de tourbe dans la gueule. Ses aboiements semblaient quelque peu neutralisés, il dansait, mordant la poussière, mordant les ombres.

L'extra-terrestre était tapi dans le carré de maïs. Prêt au combat, il avait empoigné un concombre; ses dents claquaient craintivement et il tremblait des pieds à la tête.

Les tiges de maïs s'écartèrent et le garçon hurla, plongeant vers le sol.

L'habitant de l'espace fit marche arrière dans les tiges de maïs et se précipita vers la porte, ses pieds palmés clapotant.

– Ne partez pas!

La voix du garçon avait cette nuance de douceur qu'ont parfois les jeunes plantes – et le vieux botaniste se retourna pour le regarder.

Leurs regards se croisèrent.

Le chien de la maison aboyait, courant en rond, crachant de la tourbe.

Quelque régime diététique spécial, sans doute, pensa le vieux savant, sans s'attarder davantage. Les dents de Harvey étincelaient au clair de lune, mais le garçon saisit le chien par le cou et cria de nouveau au navigateur de l'espace :

– Ne partez pas!

Mais la vénérable créature s'enfonçait déjà dans la nuit.

Mary s'éveilla derrière ses compresses aux plantes; elle avait la curieuse impression que la maison penchait d'un côté. Elle se leva, enfila une robe de chambre et fit quelques pas dans l'ombre du couloir.

Des voix montaient de la salle de jeux. Elle s'était assez souvent demandé à quels jeux ils pouvaient bien jouer là-dedans; en tout cas, la présence de posters représentant des princesses de l'espace à moitié nues semblait essentielle à leur plaisir.

Mes tout-petits, soupira-t-elle. Puis comme elle s'approchait de la salle, elle entendit les voix de Tyler, de Steve et de Greg, les Donjonneurs à qui elle avait expressément notifié d'avoir à rentrer chez eux. Naturellement, ils avaient superbement ignoré son ordre. Et naturellement, ils avaient la ferme intention de passer la nuit ici et de ne refaire surface chez leur mère que demain matin, les yeux chassieux, avec un air d'arriver tout droit d'un bordel.

Cette fois, la coupe était pleine.

Elle boutonna sa robe de chambre et se prépara à l'affrontement, mais la porte était entrouverte et elle vit les flashes de lumière rouge : ils avaient fabriqué leur propre show-laser maison, les lumières clignotaient sur le rythme de la musique.

L'effet était apaisant, il fallait le reconnaître.

Et puis, est-ce que ce n'était pas ça, la créativité?

– Regarde, ça ressemble à un néné, il y a le téton.

Elle s'écroula contre le mur. Vous ne pouviez pas avoir le dessus, c'était impossible. Si elle faisait maintenant son entrée et leur donnait le spectacle d'une femme-d'âge-mûr-hurlant-en-robe-de-chambre, est-ce que ça n'allait pas inhiber tout leur développement sexuel? Et leur donner des complexes?

En tout cas, ce qui était sûr, c'est que, à elle, ça lui donnerait mal à la tête.

Comme une chamelle blessée, elle battit en retraite, les épaules voûtées – juste au moment où Elliott déboulait en trombe dans la salle de jeux.

– Vous êtes encore là, les mecs?

– Regarde ça, une *paire* de nichons.

– Dans la cour derrière, j'ai vu un monstre.

– Un monstre? Ben ici, y a une vraie Martienne avec les nénés à l'air.

– C'était un gobelin! Environ un mètre de haut, avec de longues oreilles. Il était dans le carré de maïs.

– Ferme la porte, tu vas réveiller maman.

La porte se referma. Maman rentra doucement dans sa chambre. La maison ne penchait pas d'un côté. Mais Elliott, oui. Complètement tordu.

Ou bien alors un timide obsédé sexuel avait-il vraiment choisi son potager pour perpétrer ses actes contre nature?

Pourquoi? se demanda-t-elle.

Pourquoi moi?

3

– C'était là, exactement là, je vous dis.

L'extra-terrestre écoutait les voix des hommes qui arpentaient le terrain d'atterrissage. Caché dans les arbres, il pouvait deviner le sens de leur discours : un prodigieux Vaisseau avait stationné ici et ils l'avaient laissé échapper. Oui, une Nef si extraordinaire qu'à sa vue les Terriens ne pouvaient que rester abasourdis, bouche bée. Et elle était repartie comme elle était venue.

– Et il m'a glissé entre les doigts!

Leur chef, l'homme au trousseau de dents, ne cessait pas de tourner en rond. Ses adjoints acquiesçaient stupidement. Il monta dans sa voiture et démarra, et ils le suivirent. Le jour se levait. L'aire d'atterrissage était à nouveau déserte.

L'extra-terrestre fixait avec consternation les traces laissées par le Vaisseau.

Et il m'a glissé entre les doigts...

Il leva une main hésitante. La fatigue s'était emparée de lui, et la faim. Les puissantes rations concentrées qui leur avaient permis de survivre, lui et ses compagnons de voyage (de véritables petits prodiges compacts de technique diététique), étaient inconnues sur Terre. Il avait bien essayé de grignoter des baies sauvages, mais il les avait trouvées infiniment peu satisfaisantes et avait aussitôt recraché les petits grains tout durs.

Jamais au cours de ces dix millions d'années d'étude et de récolte de la flore sauvage, il n'avait éprouvé le besoin d'apprendre à distinguer les espèces comestibles. C'était un peu tard pour commencer.

Oh, qu'est-ce que je donnerais rien que pour une toute petite tablette chargée d'énergie!...

Il se traînait péniblement dans les broussailles. Il se sentait faible, déprimé; il avait des démangeaisons partout, dues à un échantillon de jasmin de Virginie qu'il avait recueilli. La fin était proche.

Elliott pédalait sur la route, en direction des lointaines collines. Il n'aurait pu dire pourquoi il allait par là. On eût dit que son feu avant était comme le pôle d'un aimant, attiré par le minerai de fer que la colline recelait en ses flancs. Oui, le vélo semblait savoir où il fallait aller, et il se laissait guider.

Elliott passait généralement pour un pauvre type.

Il trichait au jeu du Parcheesi. Il avait une voix fluette, perçante, qui montait et descendait comme un ludion dans une bouteille; il était toujours à côté de ses pompes et, que ce soit en classe ou à la maison, au dîner, il disait toujours ce qu'il ne fallait pas dire.

Tout ce qu'il pouvait esquiver, dans la vie, il l'esquivait, espérant vaguement que Mary s'en occuperait pour lui, ou Michael. Il avait encore plein d'autres problèmes, la liste était longue, sans compter les énormes verres de lunettes qui lui donnaient l'impression permanente d'être une grenouille dans son bocal. Son chemin dans la vie ne menait nulle part, mais si on avait pu lui assigner une place sur la carte des mouvements de l'âme, sa destination eût été Médiocrité, Radinerie et Mélancolie. Il était de ces gens qui tombent sous les roues du train. C'était quelque chose de ce genre qui l'attendait, n'importe quel psychologue d'enfants aurait pu vous le dire... Seulement, aujourd'hui, les voies d'Elliott bifurquaient : elles menaient vers les collines.

Il suivait les exhortations de la machine qui l'entraînait en direction de la piste pare-feu. Il descendit et, portant le vélo, se mit à marcher sur le tapis d'herbe rase. Le vélo était tout cabossé et tout rouillé. Il l'avait tant de fois balancé n'importe comment, n'importe où, l'oubliant sous la pluie. Mais aujourd'hui il semblait léger comme une plume. Et il brillait comme un sou neuf, à travers sa rouille.

Il guida Elliott sur le sentier qui serpentait à travers la forêt. Elliott arriva sur l'aire de déboisement, et sut aussitôt qu'il s'était passé là quelque chose d'incroyable. Tout semblait avoir gardé le souvenir du Vaisseau. Louchant derrière ses lunettes, il pouvait presque distinguer, dans l'herbe encore écrasée, la silhouette en creux de l'astronef.

Le cœur d'Elliott battait très fort et, eût-il été porteur d'un voyant lumineux, il aurait clignoté à tout va. Son front en feu était comme pris dans le sillage des immenses énergies qui s'attardaient encore sur la clairière.

Tapi dans les buissons voisins, le vieil astronaute se gardait bien de révéler sa présence. Le détestable cabot n'aurait pas raté l'occasion de mordre à la cheville un aussi distingué savant.

Mais non – l'enfant était venu seul, semblait-il. Il valait quand même mieux ne pas trop se faire remarquer. Et puis, un extra-terrestre allait expirer dans ce sous-bois; il n'y avait aucune raison d'y mêler des étrangers.

Le garçon inaugurait maintenant toute une série d'actes bien particuliers. Il prit dans sa poche un sac d'où il tira un très petit objet qu'il posa sur le sol. Il fit quelques pas et posa un autre objet, puis un autre et encore un autre; de sorte qu'il fut bientôt hors de vue.

L'auguste navigateur s'extirpa des broussailles, à bout de forces. La curiosité était son plus vilain défaut et il était trop tard pour s'amender. Se traînant sur les mains et sur les genoux, il parvint sur l'aire de déboisement et regarda ce que l'enfant y avait déposé.

C'était une petite pastille ronde dont la ressemblance avec les rations de survie était remarquable. Il la retourna dans le creux de sa main. Un sigle y était inscrit : M & M.

Il porta la chose à sa bouche et la laissa fondre. Délicieux.

Exquis en fait. Il n'avait jamais rien dégusté de pareil dans toute la galaxie.

Il se hâtait sur la piste des pastilles, les avalant les unes après les autres. Ses forces revenaient, l'espoir renaissait en son cœur. Une fois de plus, la piste conduisait à la maison du garçon.

Mary servait le dîner. Elle avait préparé un de ses plats favoris : macaroni au fromage et aux germes de blé crus, parsemés de noix de cajou pour donner la dernière touche de classe.

– Elliott, mange!

Comme toujours au moment du plat de résistance, il rentrait le cou dans les épaules, comme s'il s'agissait de se frayer un chemin dans la nourriture avec un masque de plongée.

J'ai élevé un enfant dépressif.

Mary revint en pensée à des dîners d'une autre époque. Elliott était tout petit; son mari et elle s'étaient jeté les couteaux à beurre à la tête. Un poulet entier était allé valdinguer contre le mur et la purée de pommes de terre, collée au plafond, pendait en lamentables stalactites qui dégoulinaient sur la chère petite tête. Ça n'avait sûrement pas dû être bien épatant pour lui. Elle aurait aimé donner un peu plus d'éclat au dîner de ce soir et relança la conversation.

– Alors, vous allez vous déguiser comment, pour Halloween (1)?

La redoutable soirée approchait à la vitesse grand V : sa maison allait être envahie par plusieurs centaines d'enfants chantant faux et qui la regarderaient les yeux écarquillés.

– Elliott se déguise en gobelin, dit Michael.

– Tiens! Mon cul! grogna Elliott.

– Jeune homme (Mary donna un petit coup de fourchette sur le verre d'Elliott), voulez-vous manger vos macaroni!

– Personne ne veut me croire, dit Elliott, et il lorgna d'un œil encore plus sombre l'allègre festin.

Mary lui tapota la main.

– Ce n'est pas qu'on ne te croit pas, chéri...

– C'était vrai, je te jure.

Elliott la regardait. Derrière ses verres de lunettes, ses yeux énormes imploraient l'adhésion.

Mary se tourna vers Gertie, cinq ans, la petite

(1) Fête enfantine célébrée le 31 octobre. *(N.d.T.)*

dernière, qui réclamait déjà une chambre personnelle.

– Gertie chérie, en quoi tu vas te mettre pour Halloween?

– En Bo Derek.

L'image de sa petite fille paradant dans la rue, nue et ruisselante, submergea Mary, déjà bien éprouvée. Elle chipota dans ses macaroni et essaya de penser à autre chose, mais Michael revint à la charge.

– C'était peut-être un iguane, dit-il, prenant ses airs supérieurs, très frère aîné.

– Les iguanes, ça je connais, dit Mary à mi-voix, dans une bouchée de noix de cajou.

– Ça n'avait rien à voir avec un iguane, dit Elliott.

– Ah bon! dit Michael. Mais est-ce que vous savez qu'il y a des crocodiles dans les égouts?

Des crocodiles, se dit Mary. Tiens, et si je me mettais à compter les crocodiles? Pour changer.

Elle ferma les yeux, et un gros crocodile apparut, les dents étincelantes.

Elle se tourna vers Elliott :

– Elliott, ton frère veut dire que probablement ton imagination te joue des tours. Ça arrive. Nous sommes tout le temps en train de nous imaginer un tas de choses...

» J'imagine que j'entre au décrochez-moi-ça, et que pour deux dollars je trouve un ensemble de chez Dior, égaré là. Je fais une entrée fracassante au *Mac Donald* du coin.

– Ce que j'ai vu, j'aurais jamais pu l'imaginer.

– Alors c'était peut-être vraiment un pervers, dit Michael.

– Je t'en prie, Michael, arrête. Ce genre de conversation impressionne la petite.

– C'est quoi, maman, un pervers?

– Ce n'est rien, chérie, c'est un bonhomme avec un imperméable.

– Ou un enfant handicapé, poursuivit Michael.

– Michael!

D'un regard, elle lui intima le silence. Pourquoi les enfants étaient-ils si épris d'explications tordues? Pourquoi toutes les conversations à table tournaient-elles de cette manière? Au deuxième plat – des carrés de poisson congelé –, l'élégant badinage plein de raffinement n'était plus qu'un souvenir.

Ignorant ses injonctions, comme d'habitude, Michael continuait:

– Ou alors c'était un elfe, ou un lutin.

Elliott jeta sa fourchette.

– Ce n'était rien de tout ça, espèce de pénis haletant!

Pénis haletant? Mary retomba sur sa chaise, les yeux hors de la tête.

Comment cette locution avait-elle pu pénétrer dans le petit cercle de famille?

Décomposée en ses éléments, l'expression venait lentement à elle. Elle devait reconnaître qu'il s'agissait là d'une possibilité organique, dont l'évocation même était apte à faire naître quelque chose de nostalgique chez une divorcée solitaire; elle en resta toute pensive.

– Elliott, je te prierai de ne plus employer cette expression à table. Ni où que ce soit dans la maison.

Elliott piqua de nouveau du nez dans son assiette.

– Papa m'aurait cru, lui.

– Pourquoi ne l'appelles-tu pas pour le lui

dire? Si toutefois le téléphone marche, ce dont je doute.

— Je peux pas, dit Elliott, il est à Mexico avec Sally.

Mary se cramponna pour ne pas perdre l'équilibre et réussit à ne s'affaisser qu'imperceptiblement vers les carrés de poisson, tandis que le nom de son ancienne amie, désormais son ennemie jurée, était prononcé. Les enfants peuvent être si cruels, pensa-t-elle. Surtout Elliott.

— En tout cas, si cette « chose » revient, quelle qu'elle soit, ne t'approche pas. Appelle-moi et on fera venir quelqu'un.

— Comme le type de la fourrière?

— Exactement.

De la porte du fond, où il était occupé à manger le paillasson, Harvey fit entendre un grognement.

— Mais, dit Elliott, s'ils l'emmènent, ils lui feront une lobotomie, ou alors ils feront des expérimentations sur lui et plein de trucs comme ça.

— Eh ben, dit Mary, ça lui apprendra à se mêler des concombres des autres.

Toute la ville dormait. La « chose » rampante se glissait à la lisière de la forêt. Elle n'avait jamais entendu parler de lobotomie, mais avait d'excellentes raisons de craindre les taxidermistes.

Les pieds aux longs orteils portaient tranquillement la vénérable créature sur le chemin de la maison. Elle descendit à flanc de colline, laissant sur son passage les empreintes d'un melon traîné par deux ornithorynques. Toutes les lumières de la maison étaient éteintes à l'exception d'une petite fenêtre.

Il risqua un œil par-dessus la clôture, ses grands yeux roulaient dans leurs orbites : il inspectait les parages – en haut, en bas, tout autour.

Le chien n'était pas en vue.

Attendez que je place mon gros orteil sur le loquet de la façon convenue... et que je bascule...

Ces comprimés m'ont vraiment rendu toute ma vitalité. Manne prodigieuse. Dans mille ans, le Vaisseau serait de retour; si les comprimés duraient jusque-là, il pourrait peut-être tenir.

Arrête de rêver, vieux fou... Tu ne rentreras jamais de ce voyage.

Il regarda le ciel, mais pas longtemps, car la tristesse qui s'y reflétait était trop grande. Aucun stock de rations ne pourrait suffire à le maintenir en vie alors que l'amour de ses compagnons d'expédition l'avait déserté.

Pourquoi l'avaient-ils abandonné? N'auraient-ils pu patienter encore un peu?

Il referma la porte derrière lui avec son pied, comme il l'avait vu faire par les enfants. Il fallait qu'il se fasse à ces usages terriens, s'il voulait réussir ici.

Il traversa la cour sur la pointe des pieds. Quelle ne fut pas sa surprise en découvrant le garçon endormi dans un sac de couchage, près du carré de légumes.

Le gamin respirait doucement. Un peu de vapeur s'échappait de ses lèvres dans la fraîcheur de la nuit.

L'extra-terrestre frissonna légèrement et ses doigts de pied exhalèrent leur petit nuage – brumes de tourment, de peur, de trouble profond.

Soudain l'enfant s'éveilla.

Au-dessus de lui, d'énormes yeux, des yeux de

méduse lunaire, où l'on voyait flamboyer de pâles filaments d'énergie, des yeux chargés d'un très ancien et très redoutable savoir semblaient sonder chaque atome de son corps.

L'extra-terrestre horrifié regardait l'enfant, son grand nez protubérant, ses oreilles exposées à l'air, et le pire de tout, les tout petits yeux en vrille, tout noirs.

Les petits yeux clignèrent, noyés de sommeil; la terreur qu'on pouvait y lire toucha le cœur de l'auguste savant. Il tendit un de ses longs doigts.

Elliott poussa un cri aigu et tomba à la renverse; il se débattait, agrippant son sac de couchage. L'extra-terrestre sauta de l'autre côté, en trébuchant. Il émit un glapissement dont les ultra-sonorités attirèrent une chauve-souris dans les parages. Pas pour longtemps : un seul survol de reconnaissance suffit à persuader l'aérien mammifère de retourner à ses ténèbres extérieures; ce qu'il fit en claquant des dents.

Les dents d'Elliott, quant à elles, cliquetaient comme un sac de billes, ses genoux s'entrechoquaient, et ses petits cheveux se hérissaient sur sa nuque.

Où donc était passé Harvey, le chien, le protecteur du foyer?

Il était derrière la porte du fond, claquant des dents, les jarrets s'entrechoquant, le poil hérissé. Et, terrifié, il se jetait sur la porte, rebondissait et courait après sa queue. Il flairait une piste qui ne ressemblait à rien de familier, il s'y mêlait des effluves de périphéries cosmiques dont tout chien sain et équilibré se serait abstenu de chercher plus avant la nature. Il s'aplatit sur le sol, le bout de son museau dépassant seul d'une fente dans la porte;

d'autres effluves lui parvinrent, il se recroquevilla complètement et commença à manger le manche d'un balai.

L'habitant de l'espace faisait une nouvelle tentative de rapprochement. Les yeux agrandis de terreur, Elliott recula. Courage, degré zéro : il avait des courses à faire, des devoirs à finir, des corvées ménagères, plein de choses l'attendaient, tout – sauf ça.

Des yeux monstrueux exploraient chaque parcelle de son corps; il pouvait sentir les puissantes sondes à l'œuvre au plus profond de son être, projetant leur énergie en lui, questionnant, calculant, analysant. Les lèvres de la hideuse créature étaient déformées par une affreuse grimace, les petites mâchoires découvertes frottaient l'une contre l'autre. Que voulait-il? Elliott perçut qu'il essayait de communiquer.

Le vénérable pèlerin ouvrit la main. Dans l'énorme paume, le dernier M & M fondait.

Elliott regarda le petit bonbon puis leva les yeux sur le monstre. Le monstre pointa un long doigt au creux de sa paume, puis désigna sa bouche.

– O.K.! dit Elliott doucement.

Il ouvrit sa veste, prit le sachet de M & M et s'éloigna lentement, traçant une nouvelle piste dans la cour. Ses genoux s'entrechoquaient toujours et il continuait à claquer des dents sur un rythme assez violent pour compromettre gravement un coûteux travail d'orthodontie.

Le patriarche du cosmos lui emboîtait le pas. Il ramassait les M & M l'un après l'autre et les avalait gloutonnement.

C'était vraiment la nourriture des dieux, des rois, des conquérants... S'il survivait à cette ordalie sur

Terre, il ne manquerait pas de rapporter à son capitaine un échantillon de la miraculeuse substance car, grâce à elle, le vaste univers pourrait à nouveau être traversé, en un vol suprême.

Le chocolat lui dégoulinait au coin des lèvres, il en avait plein les doigts. Il le léchait avec délices; ses forces revenaient. Il pouvait sentir la prodigieuse substance courant dans ses veines, véhiculant à son cerveau son alchimie secrète. Ses centres nerveux émettaient maintenant un feu d'artifice continu de lumineuses impulsions d'allégresse. La vie sur Terre prenait tout son sens : une évolution s'étendant sur dix milliards d'années avait pu aboutir au M & M.

Qu'est-ce qu'une planète pouvait demander de plus?

Il ramassait vivement les petites pastilles et remontait rapidement la piste qu'elles traçaient dans l'allée. Il ne s'était pas rendu compte qu'elle menait à l'intérieur de la maison terrienne.

Il roulait des yeux horrifiés. Un monde hostile et étranger l'entourait maintenant de toutes parts – chaque coin, chaque objet, chaque ombre était désormais un choc dévastateur supplémentaire pour son système vital. Mais il fallait supporter cela s'il voulait entrer en possession de la prodigieuse nourriture.

Il continua jusqu'à une volée de marches et arriva dans la chambre du garçon.

Là, l'enfant le gratifia d'une poignée de M & M. Il les avala d'un coup. Acte inconsidéré peut-être, sous le coup de l'impulsion, mais qui sait ce que les lendemains lui réservaient.

Le larynx du garçon se mit à vibrer :

– Je suis Elliott.

Les mots formaient un magma incompréhensible. Mais qu'importe, on pouvait se fier à lui, qui avait consenti à partager ce prodigieux repas.

Epuisé, l'extra-terrestre se laissa tomber lourdement sur le sol. Une couverture vint envelopper ses épaules et il s'endormit.

Elliott gardait les yeux ouverts. Il n'osait pas s'endormir. La monstruosité gisait sur le parquet, près de son lit, et ses formes grotesques se dessinaient sous la couverture. D'où venait-il? En tout cas, pas de cette planète, ça il en était sûr.

Il essayait désespérément de comprendre, mais autant essayer d'attraper une poignée de brouillard. Des ondes d'énergie remplissaient la pièce, visibles comme le sont des couches d'air chaud dans le désert, ballet chatoyant qui s'élevait vers le plafond. Elliott sentait dans la pièce une brillante intelligence en mouvement. Une sentinelle semblait veiller dans le miroitement qui émanait de la créature endormie, repérant les lieux, scrutant la nuit au delà de l'encadrement des fenêtres.

Une longue plainte geignarde venue du couloir signala à Elliott que Harvey s'était encore échappé et était venu se blottir derrière la porte. On pouvait entendre les battements sourds de sa queue sur le plancher et les bruits de grignotement, tandis qu'il s'acharnait contre le chambranle.

Qu'est-ce qu'il peut bien y avoir là-dedans, se demandait perplexe le représentant de l'espèce canine tandis qu'il mâchonnait nerveusement un bout de bois. Les ondes chatoyantes l'avaient atteint, lui aussi, sondant ses bourbeuses pensées de chien. Le corniaud pleurnicha vaguement, gratta la porte, puis se laissa retomber; il ne souhaitait pas réellement qu'on le laissât entrer. Il ne souhaitait pas tellement non plus approcher l'onde miroitante. Pourtant ses vibrations l'attiraient, tel un gros os, un os de premier choix, mais de l'espèce la plus redoutable : avec la foudre dans sa moelle.

Elliott se tourna sur le côté et glissa un bras sous son oreiller. Bien qu'il luttât pour rester éveillé, le sommeil le harcelait. Ses paupières étaient lourdes, et il glissait, glissait, glissait, glissait, au fond, tout au fond...

Il atterrit sur un jeu de Parcheesi, ses pieds semblaient s'y être embourbés, prisonniers. Mais il aperçut alors une piste semée de petits bonbons, chacun d'eux brillait comme un caillou d'or : c'était la piste de M & M qu'il avait égrenée pour son monstrueux ami. Elle se changea en une avenue splendide qui conduisait à travers le monde entier. Il prit la route.

4

Le matin suivant, lorsque l'extra-terrestre s'éveilla, il ne savait plus sur quelle planète il se trouvait.

– Venez, il faut vous cacher.

La créature fut poussée dans la penderie et une porte munie de panneaux à claire-voie se referma sur lui.

Quelques minutes après, la maisonnée s'éveillait. La créature entendit la voix d'un enfant plus âgé, puis celle de la mère.

Il s'aplatit au fond du placard : la mère entrait.

– Elliott, c'est l'heure.

– Maman, je suis malade.

L'extra-terrestre lorgna à travers les lames des persiennes. Le garçon s'était remis au lit et semblait parlementer avec une grande créature à l'allure élancée de jeune saule. Elle plaça un tube dans la bouche du garçon et quitta la pièce. L'enfant enleva vivement le tube de sa bouche et le maintint dans la lumière au-dessus du lit, chauffant le fluide dont il était rempli, puis, entendant sa mère revenir, il le remit dans la bouche.

Le vieux savant hochait la tête. Vieux truc, connu dans toute la galaxie.

– Mais tu as de la fièvre.

– Je crois.

– Je suis sûre que tu es resté dehors toute la nuit à attendre le retour de cette « chose », c'est ça?

Le gamin acquiesça.

La femme se dirigea vers le placard. L'extra-terrestre se recroquevillait déjà dans son coin mais seule une main pénétra pour prendre l'édredon rangé au-dessus de sa tête sur l'étagère. Elle rajouta l'édredon sur le lit de l'enfant.

– Tu penses que tu pourras survivre, si je vais travailler?

Elle savait qu'elle était probablement de nouveau en train de se faire avoir, mais il dormait très mal depuis quelque temps. Pourvu que toutes ces mystérieuses drogues ne finissent pas par le rendre fou. Il avait des yeux bizarres ces derniers temps. Mais son père aussi avait toujours eu ces yeux étrangement dilatés; toujours plus ou moins en train de fantasmer. C'était peut-être héréditaire.

– O.K.! dit-elle, tu peux rester à la maison. Mais

pas de télé, compris? Tu vas finir par te désintégrer à force de rester là-devant.

Elle tourna les talons et passa la porte mais s'arrêta à la vue du chambranle.

– C'est pas vrai! Ce satané clébard a encore mangé la porte. Je vais finir par lui faire faire des jaquettes en caoutchouc chez le dentiste.

Elle s'engagea dans le couloir, mais ayant fait quelques pas, elle vacilla, comme submergée par une lame de fond; puis elle se reprit et se tâta le front. Il était parcouru par une légère ondulation comme si les doigts d'une fée l'avaient effleuré. Un moment plus tard, il n'y paraissait plus.

Elle entra dans la chambre de Gertie :

– Lève-toi et brille!

L'enfant s'assit, se frotta les yeux, puis sauta du lit allégrement.

– Maman, j'ai rêvé du pervers!

– Ah bon?

– Il avait un drôle de nez et des gros yeux.

– Est-ce qu'il avait un imperméable?

– Il n'avait pas de vêtements du tout.

Oui, tout l'air d'un pervers, pensa Mary, mais elle pouvait difficilement s'attarder à spéculer plus avant.

– C'est l'heure du petit déjeuner. Va aider Michael.

Continuant son périple matinal, elle s'arrêta dans la salle de bains, pour une courte toilette. Elle utilisait un savon ridiculement coûteux, qui fondait plus vite que de la glace. La savonnette, de taille normale deux jours auparavant, était maintenant absolument minuscule, réduite à une mince pellicule transparente.

Mais une de ses copines lui avait dit que c'était

super-efficace contre les rides, les dartres, les boutons et les verrues.

Elle fit mousser. Voilà, maintenant il ne restait absolument plus rien. Encore six dollars partis en pure perte dans le lavabo.

Elle se sécha, et un songe de la nuit émergea de ses habituelles brumes matinales : elle avait rêvé d'un homme, mais très petit, avec une bedaine énorme et une drôle de démarche déhanchée.

Pas de doute : c'était le pervers.

Elle embraya sur le petit déjeuner, toujours dans le brouillard, puis elle sortit et se dirigea vers l'allée où Michael s'exerçait à la conduite. Il avait reculé l'auto en marche arrière jusqu'à la rue.

– Ça y est, maman, tu peux y aller, dit-il en ouvrant la portière.

– Merci, chéri.

Elle s'installa derrière le volant dont elle se saisit avec son habituelle détermination maussade; elle embraya, mit trop de gaz, et la voiture démarra dans d'affreux grincements. Michael agita la main pour saluer son départ.

Dès qu'il avait entendu la voiture s'éloigner, Elliott était sorti de son lit. Il ouvrit la porte de la penderie. L'extra-terrestre se recroquevilla aussitôt dans son coin.

– Hé, sors de là, dit Elliott en lui tendant la main.

L'antique monstruosité s'extirpa de sa retraite, non sans réticence, et contempla la pièce. Son regard rencontra une variété infinie d'objets, tous de forme bizarre, la plupart en plastique. La seule chose qui lui parût familière était un bureau, mais il était bien trop haut pour qui avait des jambes comme les siennes. Et puis un bureau pour faire quoi? Pour écrire une lettre et la poster à la lune?

– Comment je dois t'appeler?

Elliott regarda les grands yeux du monstre qui paraissaient sillonnés d'éclairs. De petits bouquets de feux d'artifice semblaient éclore au fond de ses prunelles, puis disparaître pour être remplacés par d'autres. La créature tentait de se repérer dans la chambre et Elliott recula pour lui laisser la place de bouger.

– Tu es un extra-terrestre, c'est ça?

L'extra-terrestre cligna des yeux, et Elliott sut que les grands orbes lui répondaient à leur façon, mais tout ce qu'il pouvait saisir, c'était une sorte de bourdonnement dans son propre cerveau, comme s'il avait eu une mouche dans la tête.

Elliott ouvrit la porte de la chambre. Le monstre bondit en arrière : cette saleté de chien terrien se tenait sur le seuil, une lueur de curiosité imbécile dans les yeux, la bave aux lèvres, bref, l'antipathie faite chien.

– Harvey, sage! Ne mords pas, ni rien. Gentil chien, gentil Harvey, Harvey, gentil...

– ...*errr gggggggggg*...

Le discours du chien concernait les plus basses fréquences du spectre acoustique, on eût dit un croiseur spatial coincé en marche arrière.

– Tu vois, Harvey? Il est gentil. Il fait pas mal. D'accord?

Une légère traînée de brume sortit du gros orteil du monstre. Harvey fourra son nez dans le petit brouillard et il eut alors l'intuition de nouvelles dimensions-chien auxquelles il n'était pas préparé : une immense soupe d'os de lumière fonçait vers lui dans la nuit en émettant des éclairs lumi-

58

neux, avec un hurlement de sirène venu des plus antiques chambres d'échos de l'espace intersidéral.

Le chien se ratatina complètement, pris de vertige. Un gémissement de terreur lui vint aux babines. Il battit en retraite, tête basse.

Le monstre s'avançait.

– Tu sais parler?

Elliott ouvrait et refermait le bout de ses doigts joints, mimant le caquet d'un animal bavard.

Le grand aîné cligna des yeux, puis remua ses propres bouts de doigts selon les schèmes élaborés de l'intelligence galactique, super-codes cosmiques de survie, éprouvés par dix millions d'années d'expérience.

Elliott se contenta de ciller stupidement à la vue des doigts agiles qui décrivaient ces délicates orbites, ces spirales, ces angles qui relevaient de lois physiques complexes.

L'ancêtre baissa les bras, frustré; il voyait bien que rien ne passait; l'enfant, il est vrai, n'avait que dix ans.

Bon, qu'est-ce que je suis censé faire? Le vénérable monstre étudiait la situation. La sophistication de son cerveau dépassait à un tel point les facultés de l'enfant qu'il ne savait absolument pas par où commencer.

Je suis trop spécialisé, pensait le monstre. Voyons, voyons...

Il essaya de se mettre au niveau des grossiers cheminements de l'inepte activité mentale des Terriens, mais finit par se prendre la tête dans les mains. Comment pouvait-il espérer communiquer les grandes équations, ces vues suprêmes issues de super-segments de temps à la dérive? Il pouvait à peine demander à manger.

Elliott tourna le bouton de la radio.

– Ça te plaît, cet air? Tu aimes le rock?

Il n'avait jamais été donné au pèlerin de l'espace d'entendre de pareilles sonorités. Il reçut l'image télépathique de rocs roulant au bas d'une pente montagneuse. Il s'accroupit par terre et se boucha les oreilles.

Elliott regardait autour de lui, essayant de recenser d'autres choses indispensables à connaître quand on vient du cosmos. Il pêcha une pièce de monnaie dans sa tirelire.

– Tu vois, c'est un peu de notre monnaie.

Le navigateur millénaire fixait le garçon et essayait de saisir quelque chose de son discours, mais le langage de la Terre n'était qu'un pesant magma.

– Regarde, ça, c'est un sou.

L'objet était plat, petit et rond avec un revêtement brillant, d'une couleur différente de celle des pastilles, mais peut-être était-ce une ration de survie encore plus puissante.

Il mordit dedans. Un bout de ferraille.

– Eh, dis donc, ça se mange pas! dit Elliott. Tu as encore faim? Bon, moi aussi. On va aller se préparer quelque chose à manger. Hé! Harvey. (Elliott admonestait le chien.) Tire-toi de là.

Harvey se mit à geindre et fit un écart de côté, puis, emboîtant le pas à Elliott et à son compagnon, il descendit à la cuisine. Il se blottit près de son écuelle de chien et fit signe qu'il voulait un peu d'Alpo pour se remettre les nerfs en place : une boîte entière, de préférence, qu'il engloutirait d'un seul coup de mâchoire. Mais Elliott ignora la requête et Harvey dut se contenter de se faire les dents sur le bord de l'écuelle.

60

Elliott ouvrait des tiroirs et sortait les ingrédients destinés à la préparation de son petit déjeuner favori :

– Des gaufres, dit-il, en touillant la pâte à frire. C'est ma spécialité. Tu en as déjà goûté ?

Le vénérable botaniste regardait tous ces ustensiles apparaître les uns après les autres. Pas un seul d'entre eux qui eût le plus petit rapport avec la navigation spatiale. Il ouvrait de grands yeux, enregistrant des fragments d'une action incompréhensible ; une seule chose était claire : un long filament de liquide gluant coulait du placard sur le sol.

Harvey, plus efficace qu'un balai-éponge, lécha rapidement la pâte répandue, cependant qu'Elliott parvenait tout de même à introduire ce qui restait dans le moule à gaufres.

– Voilà, tu vois, ça s'appelle faire la cuisine.

Le vieux monstre fronça le nez et il s'approcha du moule à gaufres. L'odeur était délicieuse.

Elliott retira la gaufre du moule, ouvrit d'autres placards et d'autres tiroirs.

– Sirop d'érable, beurre, fruits en conserve, et qu'est-ce que tu dirais d'un peu de crème fouettée pour couronner le tout ?

Le garçon secoua un objet cylindrique. Le monstre sursauta quand une mousse blanche jaillit.

– N'aie pas peur, c'est un excellent dessert.

Elliott plaça un M & M au sommet de la montagne de crème Chantilly et tendit la gaufre au vieux cosmonaute.

– Voilà une fourchette. Tu sais t'en servir ?

Le savant fixa la fourchette aux dents étincelantes. La plus belle pièce de mécanique vue jusqu'à présent dans la maison. De douces lumières parvinrent à son esprit. Oui, un objet à quatre branches...

connecté... A quoi pourrait-il bien le connecter? En un éclair il comprit qu'il tenait là la clef de son évasion. Au plus profond de son cerveau, l'image d'un mécanisme se formait lentement...

– Hé! c'est pour manger. Tu vois : comme ça, comme moi.

Le savant tournicotait la fourchette en tous sens, sans résultat. Puis il arriva à piquer le M & M. Il l'avala et s'attaqua à la crème : un entrecroisement renversant des combinaisons chimiques les plus délicates atteignait ses papilles gustatives : leurs formules se donnaient à voir au moment de piquer avec la fourchette et, ravi, il lui semblait évoluer dans un nuage. Excellent, excellent machin.

– Qu'est-ce que tu dirais d'un peu de lait? Tiens, prends un verre.

Le fluide dansait, lui giclait sur les doigts. Ses lèvres ne s'adaptaient pas bien à la forme du verre et il renversa la plus grande partie du liquide sur sa poitrine, inondant son voyant lumineux.

– Oh là là! Tu ne comprends vraiment rien à rien!

Le navigateur continuait à fixer la fourchette pendant qu'il embrochait les fragments de nourriture croustillante. Les quatre dents faisaient *clic, clic, clic.*

– Mais qu'est-ce qui m'arrive? Je me sens tout triste, tout d'un coup. On dirait que c'est à cause de toi.

Elliott tanguait, pris dans la haute et puissante vague qui le submergeait tout à coup. Des émotions irrépressibles l'envahissaient, il lui semblait avoir perdu quelque chose de merveilleux, quelque chose qui lui aurait toujours appartenu.

Clic, clic, clic.

Perdu dans une contemplation intérieure, le vétéran gardait les yeux clos. Etait-il possible qu'il y eût, à des distances incommensurables, une oreille pour capter la petite chanson de quatre dents de fourchette? Comment le petit instrument pourrait-il traverser l'univers? Le vénérable botaniste regrettait de n'avoir pas prêté une plus grande attention aux conversations des navigants et des spécialistes des communications.

— Viens, dit Elliott, on va s'amuser.

Il chassa ses noires pensées et saisit la main du vieux monstre. Les longues racines se mêlaient à ses doigts, et Elliott avait le sentiment de guider un enfant plus jeune, mais bientôt la lame de fond le submergea à nouveau, porteuse de secrets venus des étoiles, d'énoncés et de formules cosmiques, et il sut que la créature était infiniment plus âgée que lui. Quelque chose en Elliott s'altéra imperceptiblement, tourna très légèrement, de ce mystérieux mouvement des gyroscopes qui se redressent tout seuls. Il cligna des yeux et s'émerveilla du sentiment qui l'emplissait soudain : il était, lui aussi, un enfant des étoiles, et jamais il n'aurait voulu faire le moindre mal à qui que ce soit.

Il conduisit le monstre à la démarche chaloupée vers les escaliers. Harvey leur emboîta le pas, tenant entre ses dents son écuelle de chien, au cas où l'on rencontrerait une croquette égarée.

Elliott menait le cortège à la salle de bains car il se demandait si la créature s'était jamais regardée dans une glace.

— Tu vois, c'est toi.

Le vénérable écumeur d'étoiles contempla son image dans le grossier miroir terrien. Mais la part la plus élégante de sa physionomie manquait à l'image. Le miroir trop rudimentaire ne réfléchissait pas ses plus hauts modules communicationnels : le subtil arc-en-ciel qui auréolait sa tête, composé des ondes les plus subtiles, n'était pas visible.

– Bon, ça, c'est une main.

Elliott levait la main. Le spationaute l'imita, levant sa propre main en un mouvement élémentaire de la plus haute catégorie – ses doigts étincelaient de formules mathématiques concernant la navigation à la vitesse de la lumière, de courts-circuits interstellaires et de prophéties cosmiques.

– Ma parole, tes doigts sont ensorcelés!

L'enfant plissait les yeux : à la façon stupide des Terriens, il s'efforçait d'étudier les doigts eux-mêmes et non les subtils signaux. Ah! pauvre de moi, soupira le mage de l'espace, il est plus idiot qu'un concombre.

– Ça, c'est pour l'eau, dit Elliott, en tournant les robinets. Tu vois : chaud, froid. Qu'est-ce que tu en dis? Vous avez l'eau courante, là-bas, d'où tu viens?

La créature prit de l'eau dans le creux de ses mains et la porta à son visage. Ses yeux accommodèrent à la distance focale du microscope et pendant un instant, il suivit les évolutions des plus minuscules formes de vie aquatique.

– Tu aimes l'eau, hein? Regarde ça, c'est super.

Elliott ouvrit tout grand les robinets et engagea l'extra-terrestre à entrer dans la baignoire.

– Vas-y, tu ne crains rien.

L'errant se pencha sur la baignoire qui ressemblait beaucoup aux réservoirs d'étude du Vaisseau et dans lesquels les chercheurs pouvaient s'immerger pour explorer l'univers aquatique. Il entra dans le bain avec nostalgie.

Une sonnerie retentit. Le savant sursauta dans son bain. Ses grands pieds éclaboussèrent la pièce. Etait-il secrètement surveillé par l'eau? Ne se trouvait-il pas en réalité dans un laboratoire où on étudiait à son insu son spectre de fréquences?

– Relax, c'est le téléphone...

Elliott quitta la pièce et la créature se replongea dans l'eau – apaisée par son flux, réconfortée par la danse des micro-organismes. Il enclencha le dispositif d'étanchéité qui isolait son appareil respiratoire, brancha le système de sécurité et s'immergea complètement. Il choisit un réglage de son système dioptrique qui lui permettait un grossissement à l'échelle de la structure de la matière. Il se mit à examiner la molécule d'eau, guettant son énergie calorique latente. Ne pourrait-elle lui être de quelque secours, utilisée d'une manière ou d'une autre?

Le chien Harvey s'approchait prudemment. Il avait passé dans cette baignoire quelques-uns des pires moments de son existence : ceux du bain anti-puces annuel. L'occupant actuel de la baignoire ne semblait pas avoir le même dégoût pour l'eau. Harvey se souvenait du jour où il avait tenté de circonvenir une grosse tortue carnassière. La rencontre avait mal tourné et s'était soldée pour lui par une terrible morsure à la truffe. D'où ses réticences à l'égard de l'invité immergé.

Est-ce qu'Elliott allait lui faire un shampooing, à lui aussi?

Revenu dans la pièce, Elliott se pencha au-dessus de la baignoire et tira vivement la créature hors de l'eau :

– Hé! Ne fais pas ça! Tu pourrais te noyer, avec ce genre de plaisanteries!

Harvey voyait bien qu'il n'y aurait pas de shampooing. Apparemment, l'invité n'avait pas de puces.

– Tu es moitié elfe, moitié créature aquatique, alors? demanda Elliott.

Tant qu'il n'était pas à moitié tortue carnassière, pensa Harvey, et il plaça d'un geste décidé sa patte devant son nez... juste au cas où...

– Tiens... une serviette. Tu sais t'en servir?

Une serviette. Le vétéran des supernovas écarquillait les yeux, ébahi. Sa peau possédait une gaine imperméable. Il prit la serviette, la regarda, regarda l'enfant.

– Eh ben, sèche-toi, andouille!

Le garçon frottait, avec des mains de Terrien imprégnées de composantes curatives qui pénétraient le dos douloureux du patriarche. Merci, jeune homme, c'est très gentil de votre part.

– Tu vois, chacun a sa serviette à lui. Ça, c'est la mienne, ça c'est celle de Michael, ça c'est à Gertie, et celle-là c'est celle de maman. Celle-là c'était pour papa, mais il est à Mexico. Tu y as déjà été?

Le monstre cilla. Il venait de recevoir un train d'ondes de tristesse émanant de la bande de fréquences de l'enfant. Le gamin s'approcha et écarta les bras comme des ailes déployées.

– Tu vas partout dans ton vaisseau spatial? Non? C'est pas ça? Tu as bien un vaisseau spatial?

Le Vaisseau, répandant sa douce lumière, apparut soudain à la créature, avec son rayon mauve qui ancrait sa coque ornée de ciselures très anciennes. Son cœur-lumière diffusa une faible lueur, en écho : il avait fait sienne la tristesse de l'enfant.

– Garde la serviette, dit Elliott. Ça sera la tienne. On la marquera E.T., comme extra-terrestre.

Une fois de plus, il toucha la peau du monstre et

s'étonna de sa texture. Une autre onde atteignit Elliott et il sut que l'être était plus vieux que Mathusalem, plus vieux que le mot même de *vieux*.

– Tu es aussi un peu serpent, non? Oh là là! tu es vraiment magique.

Le savant percevait l'énergie vitale du garçon circulant, *doop*, *doop*, dans les conduits internes de son corps; très intéressantes ces énergies terriennes, grossières mais pas inamicales, pour peu que vous leur fassiez un peu crédit.

Le monstre répondit par des signaux digitaux. Ils expliquaient la structure de l'atome, parlaient de l'amour des étoiles et de l'origine de l'univers.

– Tu as encore faim? Qu'est-ce que tu dirais de quelques biscuits Oreo?

Harvey hocha la tête et remua la queue. Ça pouvait aller.

Les Oreos n'étaient pas précisément sa nourriture préférée, mais un chien qui mange les manches à balai ne fait pas le difficile. Il prit son écuelle entre les dents et la tendit à Elliott qui s'apprêtait à sortir de la salle de bains, montrant le chemin au monstre.

Bon, pensa Harvey, je me contenterai de faire de la figuration.

Il les suivit dans le couloir, puis dans la chambre d'Elliott où les biscuits furent dispensés à l'invité. Harvey grogna et tapa son écuelle.

– Tu es trop gros, Harvey.

Gros? Moi? Le chien se mit de profil pour bien faire voir ses côtes. Mais Elliott ne se laissait plus manœuvrer par lui comme par le passé. Maintenant, le chouchou, c'était le monstre. Harvey se mit à chercher des bribes de nourriture dans un des boots d'Elliott.

A l'autre bout de la pièce, Elliott ouvrait la penderie et disait, s'adressant au monstre :

– Il faut qu'on t'arrange un coin dans le placard. Tu n'auras qu'à t'y installer comme dans la navette spatiale. O.K.? Prends tout ce qu'il te faut.

Le patriarche intersidéral, en fait, était occupé à examiner le plafonnier. Un dragon y était peint et de doux rayons de lumière jouaient à travers ses ailes déployées.

– Ça te plaît? Regarde, là-dedans, il y en a d'autres...

Elliott ouvrit un livre et ils s'installèrent sur le plancher.

– Ça c'est des gobelins, ça c'est des gnomes...

Les yeux du monstre passèrent par toute une série de mises au point, à différentes distances focales. Le premier niveau de grossissement lui permettait de discerner jusqu'à l'origine des fibres composant le papier. Puis il revint à une échelle macroscopique et l'image de la petite créature bedonnante, pas tellement différente de lui tout compte fait, le nargua sur la page peinte.

D'autres navigateurs avaient-ils pu eux aussi échouer là, il y a très longtemps?

Elliott laissa la créature regarder les images et commença à aménager le placard avec des oreillers et des couvertures. Il n'avait cessé de se demander pourquoi il avait recueilli le monstre, et ce que tout cela signifiait. En quelque sorte, il avait navigué comme avec le pilote automatique, sans retours sur lui-même, sans essayer d'esquiver. Il savait que cette chose lui venait des étoiles et qu'il fallait suivre – ou mourir.

– Viens, ça va te plaire, là-dedans, dit-il, derrière la porte du placard.

Son esprit et son corps étaient parfaitement déliés, comme mus par des signaux qu'il recevait au plus profond de lui-même. Il ne pouvait pas savoir qu'une loi d'ordre cosmique l'avait atteint et l'avait fait obliquer imperceptiblement, tel un gyroscope, dans une nouvelle direction. Tout ce qu'il savait, c'est qu'il ne s'était jamais senti aussi bien dans sa peau.

Harvey était loin de bénéficier de la même métamorphose de tout l'être : mâchouiller des talons de boots était pour son âme un recours dérisoire, et plus dérisoire encore pour son estomac. Il se consola à la perspective de mordre le facteur à la cheville, action qu'il programmait pour le courant de la matinée.

Elliott descendit et revint avec un bol d'eau, ce qui rendit espoir à Harvey pendant un court instant, mais le bol fut placé dans la penderie et les instructions prodiguées à la créature :

– C'est pour toi, tu es ici chez toi; c'est ton module de commandement.

Elliott aligna plein d'animaux en peluche à l'entrée du placard.

– C'est un camouflage pour te protéger : tu te mets sur la même rangée qu'eux et personne ne s'apercevra de la différence.

Le super-naufragé chargé d'ans assistait en silence à tous ces aménagements qui le déroutaient encore davantage.

Harvey regardait, lui aussi, et un vague désir se faisait jour en lui d'aller bouffer la tête d'un ours en peluche.

Elliott s'avança avec une lampe de bureau.

– Tu vois, c'est la lumière.

Il alluma la lampe et l'éclairage cru frappa brutalement les yeux hypersensibles du navigateur. Celui-ci eut un mouvement de recul et heurta le bras d'un tourne-disque. Malgré le grattement déplaisant du saphir sur le disque, de douces lumières affluèrent au-dedans de lui et à nouveau défilèrent dans sa tête des diagrammes, épures, schémas et plans pour un dispositif d'évasion utilisant une fourchette... une fourchette et... et quelque chose qui tournerait, comme cet objet que je viens de heurter. Ça tournera et ça rayera une surface avec un grattement porteur d'un message...

Il continua à regarder fixement le tourne-disque, cherchant la solution, tandis que ses propres rouages intérieurs tournaient eux aussi, brassant tout ce qu'il pouvait rassembler de connaissances en matière de machines à communiquer.

Il errait dans la pièce, à la recherche d'autres composants de hardware. Il ouvrit le tiroir du bureau et en renversa le contenu à ses pieds.

– Hé! dit Elliott. Doucement. En principe, la chambre doit rester propre.

Mais le pèlerin du cosmos explorait toute la chambre. Il renversait les tiroirs, vidait les placards, cherchait. Il fallait tout examiner : les produits de la créativité tâtonnante de cette primitive planète étaient si étranges!

Où allait-il trouver l'inspiration?

Il fixa un poster punaisé au mur : une princesse martienne à moitié nue, vêtue de vagues bouts de métal brillant.

Il contempla un instant son fusil à laser, son casque, ses bottes électriques.

– Elle te plaît? demanda Elliott.

Le vieux navigateur traça dans l'air une première courbe avec ses mains, puis une seconde, plus grande, évoquant les canons les plus classiques de la beauté parfaite : la fameuse silhouette de poire rebondie.

– Y en a pas tellement, des comme ça, par ici, dit Elliott.

Puis il prit gentiment le monstre par le coude et le reconduisit à son placard.

– Tu restes là, d'accord ?

Il était temps de réintégrer le placard. Lui qui avait régné sur la flore des plus immenses « maisons » du ciel acceptait de se laisser enfermer dans un placard avec une planche à roulettes.

Il s'écroula par terre comme une masse. Où était le Vaisseau, Prodige de l'Univers ? Combien il lui manquait !

Il tressaillit : il avait reçu un faisceau de lumière venu des profondeurs intersidérales : à des distances incommensurables, un phare balayait le cosmos, à la recherche de la Terre.

– Regarde, dit Elliott, il y a même une petite fenêtre.

Il montrait le petit carreau, au-dessus de sa tête.

– Et ça, c'est une lampe de chevet.

Il l'alluma.

– O.K ! A tout à l'heure. Je reviens. Je vais acheter encore des gâteaux et d'autres trucs.

La porte de la penderie se referma. L'astronaute eut un regard torve pour la lumière trop crue de la lampe, il prit un mouchoir rouge sur l'étagère et le plaça sur l'abat-jour. La lumière tamisée, rose pastel, lui rappela la Nef-Mère.

Il fallait absolument qu'il réussisse à envoyer ce

message, il fallait faire savoir à ses compagnons qu'il était encore en vie.

L'image de la fourchette lui apparut à nouveau. Quatre dents ratissaient une piste circulaire, *clic, clic, clic.*

5

Mary rentrait la voiture. Son aile effleura les boîtes à ordures qui se renversèrent dans l'allée. Aucune importance, elle était rentrée. Elle coupa le contact et resta assise là, derrière son volant, complètement épuisée mentalement et physiquement. Peut-être aurait-elle eu besoin de racines de Ginseng, ou plus simplement d'un verre de gin.

Elle ouvrit la portière et s'extirpa de la voiture. Machinalement, elle leva les yeux vers la fenêtre de la penderie d'Elliott. Il y avait placé un de ses gobelins en peluche.

Les trucs qu'ils font maintenant pour les enfants! Vraiment de quoi vous donner des hallucinations, pensa-t-elle.

Elle monta les marches du perron. Harvey l'accueillit à la porte, l'écuelle dans la gueule.

– Je t'en prie, Harvey, ne me regarde pas comme ça. Je me sens déjà suffisamment coupable.

Elle bouscula l'animal et se dirigea vers la table du courrier.

Pas de lettres de ses admirateurs secrets, les Monstres Errants?

Non, rien. De la paperasse, des factures, des factures en retard, des factures gravement en retard, et une lettre comminatoire émanant d'une officine de recouvrement. Qu'ils se brisent les rotules, tous autant qu'ils sont!

Elle jeta le courrier dans la corbeille à papier, placée à cet effet non loin de là, et enleva ses chaussures.

Elle appela sa tribu et ne reçut aucune réponse, sauf de Harvey.

– Lâche ce bol!

Elle s'affala sur la chaise de l'entrée, trop fatiguée pour aller plus loin. Une mouche bourdonna autour de son front et elle la chassa, et puis elle la chassa une seconde fois, jusqu'à ce qu'elle eût compris qu'il n'y avait pas de mouche et que le bourdonnement avait lieu dans sa tête.

La prochaine fois, ce serait les cloches, et pour finir... des voix.

Bon, pas de temps à perdre avec la dépression nerveuse aujourd'hui. Elle se leva et se dirigea vers la cuisine où elle put constater avec satisfaction qu'Elliott s'était préparé un solide petit déjeuner sur le carrelage. Elle nettoya les placards, les portes et se fit un café fort.

Elle resta assise longtemps devant sa tasse, contemplant ses pieds. Des pieds fatigués. Des pieds qui ne demandaient qu'une chose : faire grève.

– Hé! y a personne?

Aucune réponse, bien entendu. Ils étaient profondément plongés dans leurs projets secrets, sans doute complotaient-ils de renverser le gouvernement.

Après tout, s'ils le faisaient sans bruit...

La porte du fond s'ouvrit brusquement, avec le bruit d'un coup de canon, et Michael entra, comme s'il eût monté un éléphant.

– Salut, maman, t'as passé une bonne journée?

– Oui, et toi?

Michael haussa les épaules, ce qui signifiait on ne sait quoi.

– Maintenant, je vais au foot, ajouta-t-il de façon à ce que nul n'ignore que rien, mais alors vraiment rien ne pourrait s'y opposer.

– Extra, dit-elle. Amuse-toi bien. Continuez à vous entre-tuer.

Elle lui appliqua une petite tape sur la main comme si elle lui donnait une permission qu'il n'avait nullement sollicitée.

Elle continua à regarder sa tasse en essayant de rassembler ses esprits. Même si un homme étrange l'attendait là-haut dans sa chambre, il faudrait qu'il s'amuse tout seul jusqu'à ce qu'elle ait récupéré assez de forces pour monter les escaliers.

Michael mit ses épaulières et attrapa son casque. Il se sentait violent aujourd'hui, ça allait *bouger*. En deux enjambées, il fut dans le couloir du premier, mais Elliott était planté là et lui barrait le passage.

– Michael?

– Salut, espèce de resquilleur, tire au flanc! répondit-il en passant son chemin.

– J'ai quelque chose de très important à te dire.

– Ah! quoi?

– Tu te rappelles, le gobelin?

– Le gobelin? Oh! allez, barre-toi.

– Attends une seconde, Michael, c'est sérieux. Il est revenu.

– Elliott...

Michael se souciait de son cadet comme d'une

74

guigne. Elliott n'était qu'une espèce de belette cha-
fouine avec de vilains petits gestes, tout juste
comme ceux qu'il avait pour jouer au Parcheesi.

– Allez, dégage!

– Tu veux que je te le montre? Mais il est à
moi.

Michael hésita.

– Bon, mais alors vite.

– Jure d'abord. Sur ce que tu as de plus cher.

– O.K.! ça va, ça va. Qu'est-ce que c'est? Un
sconse ou un truc comme ça? Tu le gardes dans ta
chambre? Maman va hurler.

Elliott marchait devant.

– Enlève tes épaulières, dit-il au moment d'entrer
dans la chambre. Tu vas lui faire peur.

– Pousse pas, Elliott.

Elliott le conduisit jusqu'au placard.

– Ferme les yeux.

– Pourquoi?

– Fais-le, Michael, je te dis. C'est tout.

A l'intérieur, le vieil astronaute essayait de rassembler toutes ses notions éparses sur les appareils
de télécommunication. Il fallait absolument qu'il en
construise un. Il entendit les deux têtes de lard
entrer dans la chambre mais voulut ignorer leur
approche. Mettre sur pied le plan d'un émetteur le
préoccupait bien davantage. La porte de sa retraite
s'ouvrit brusquement.

Elliott mit un bras protecteur autour de ses
épaules et se pencha doucement vers lui.

– Viens que je te présente mon frère.

Ils émergeaient de la penderie quand Gertie,
rentrant de l'école, fit irruption dans la chambre de
son frère. A la vue du monstre, elle se mit à hurler,
le monstre aussi, et Michael qui venait tout juste de

rouvrir les yeux, fit de même. Leurs voix mêlées parvinrent jusqu'au poste de commande où siégeait Mary, toujours en train de rassembler ses morceaux.

Oh Dieu! Elle quitta la table de la cuisine. A quel rituel sauvage se livraient-ils maintenant? On jurerait qu'ils en ont après la petite et qu'ils lui enlèvent sa culotte. Dans vingt ans, Gertie en serait encore à essayer de la ramasser, sur le divan d'un psychiatre.

Mary grimpa les escaliers, déjà prête à prendre des notes qu'elle remettrait à Gertie dès qu'elle commencerait son analyse. Elle s'approcha à pas de loup de la chambre d'Elliott. Toute une journée de travail au bureau, pour rentrer à la maison et avoir à faire face à ce genre de traumatisme. Mais oui! Un des mille petits défis de l'existence, voilà tout...

Elle fit halte un instant derrière la porte d'Elliott. Au moins la chambre n'était-elle plus une porcherie.

Elle ouvrit la porte. Toutes les affaires d'Elliott sans exception étaient par terre. Mary le regarda.

Comment, au milieu de tout ça, pouvait-il avoir une telle expression d'innocence sur le visage?

– Qu'est-ce qui s'est passé ici?

– Où?

– Où? Regarde-moi ce bordel. Qu'est-ce que ça veut dire?

– Tu veux dire ma chambre?

– Ce n'est pas une chambre, c'est une calamité. Est-ce que tu as loué les services d'un derviche tourneur?

Dans la penderie, le vieux botaniste était coincé entre Gertie et Michael. La petite fille paraissait prête à mordre; la bouche du garçon béait stupidement; ses énormes épaules difformes prenaient une place considérable dans la penderie plutôt exiguë. L'invité descendu du cosmos espérait que son installation actuelle n'était qu'un arrangement provisoire; il se trouvait vraiment à l'étroit dans ses quartiers.

Il jeta un coup d'œil entre les lames de la porte à claire-voie et put voir la mère de la nichée qui désignait du doigt les débris dont il avait jonché le plancher, à la recherche de composants pour son futur émetteur.

Il essayait de se faire une idée des capacités d'ouverture de la Terrienne. Elle ne portait aucune chaîne de métal sur elle, et il semblait qu'elle ne fût pas armée. Par chaque centimètre carré de sa personne, elle égalait en séduction la princesse martienne du poster, bien qu'elle ne pût évidemment prétendre à la suprême perfection que confère la fameuse silhouette en forme de poire. Pour ne rien dire de la longueur des doigts de pied.

— Elliott, j'ai entendu un hurlement. Vous n'étiez pas en train d'essayer de violer Gertie, Michael et toi?

— Oh maman!

— Ce genre de chose se paye très cher à la fin du compte, Elliott. Quatre-vingt-dix dollars l'heure environ, si tu veux savoir.

— Mais, j'ai rien fait.

— Alors pourquoi ces hurlements?

— Je ne sais pas, c'est elle, elle est entrée dans la chambre et elle s'est mise à hurler, et puis elle est ressortie en courant.

Mary méditait profondément. Elle-même, petite fille, ne s'était-elle jamais précipitée dans des chambres? N'avait-elle jamais hurlé pour rien et n'était-elle jamais ressortie d'une pièce en courant ? Mais oui, elle l'avait fait, et plus d'une fois. Soudain elle eut envie de crier, tout de suite, maintenant. En fait, elle *était* en train de crier. Peut-être même allait-elle hurler encore un peu avant de s'en aller.

— Maman, je suis désolé, je m'excuse.

— Je ne voulais pas hurler comme ça, Elliott. Je regrette, moi aussi. Mais range ta chambre ou je ne sais pas ce que je te fais.

— Oh maman ! tu parles.

Mary tourna les talons et quitta la chambre. Dès qu'ils entendirent son pas dans l'escalier, la porte du placard s'ouvrit : Michael, Gertie et le vieux monstre en sortirent.

En un instant, un changement profond s'était opéré en Michael. Il avait l'impression d'avoir été plaqué sur la ligne des cent mètres, en milieu de terrain, par un rouleau compresseur. Son corps était complètement engourdi et il se demandait s'il n'avait pas rêvé : peut-être avait-il réellement été à l'entraînement, il y avait peut-être eu un télescopage et sa tête avait violemment heurté celle d'un camarade, et il était encore sans connaissance... Mais Gertie était bien là, elle, avec son *moi* complètement assommant, et ce pourri d'Elliott aussi était là, grandeur nature. Et il y avait le monstre.

— Elliott, il faut aller le dire à maman.

— On peut pas, Michael. Elle voudra immédiatement faire ce qu'il faut. Tu sais ce que ça veut dire, non ? (Elliott désignait le vénérable navigant.) On en fera de la nourriture pour chiens.

Harvey remua la queue.

— Est-ce qu'il sait parler ?

— Non.

— Bon, qu'est-ce qu'il fout là ?

– Je ne sais pas.

Les deux enfants regardèrent la petite sœur de cinq ans qui ouvrait de grands yeux devant la créature.

– Il fait pas mal, Gertie, tu peux le toucher.

Le vieux naufragé se prêtait de bonne grâce à ces nouvelles explorations, à ces nouvelles palpations. Les doigts des enfants émettaient des messages à l'intérieur de ses récepteurs profonds et, bien que les signaux fussent chaotiques et quelque peu brouillés, ces petites noix de coco étaient loin d'être stupides. Mais pourraient-ils, en tout état de cause, l'aider à se hisser jusqu'à la Grande Nébuleuse?

– Tu le diras pas, hein, Gertie? Même à maman?

– Pourquoi?

– Parce que – il ne faut pas que les grandes personnes le voient. Y a que les enfants qui peuvent le voir.

– C'est pas vrai.

Elliott prit la poupée des mains de Gertie.

– Tu sais ce qui arrivera, si tu le dis?

Il saisit un des bras de la poupée et le lui tordit derrière le dos.

– Arrête! Arrête!

– Tu promets de pas le dire?

– Il vient de la lune?

– Ouais, il vient de la lune.

Mary était dans sa chambre, étendue sur la moquette et s'efforçait d'exécuter les exercices de gymnastique du programme télé. Les animateurs de l'émission étaient une Suédoise de cinquante ans sans une ride, et son bon ami, un débile de bas étage qui imprimait aux muscles de son ventre des soubresauts vaguement pornographiques.

« *Et un... deux... trois...* »

Mary luttait pour les suivre; elle s'embrouilla, coupa le son et resta là sur la moquette, sans rien faire, dans sa pose favorite : femme ayant reçu une flèche dans le ventre.

Elle entendait vaguement les voix des enfants dans la chambre d'Elliott. Ils mijotaient sûrement quelque chose; il y avait une tension toute particulière dans l'air. C'était à cause de ça qu'elle avait tous ces bourdonnements d'oreilles, ou alors c'était ce bizarre exercice de rajeunissement sexuel qu'elle avait essayé d'imiter : mettre sa cheville derrière l'oreille. Dieu! Elle ne recommencerait plus jamais. Elle avait le muscle de la cuisse qui n'arrêtait plus de tressauter, et ce n'était sûrement pas de passion...

Le débile de la télé continuait à grimacer ses instructions à son intention. En dépit de son très bas Q.I., elle était folle de lui et elle rêvait : c'était elle qui sautait dans la piscine avec lui, main dans la main, cependant que la Suédoise restait sur la moquette comme une idiote à se tripoter le gros orteil.

Bon, allez, ça suffit...

Elle éteignit le poste. Il était temps d'aller nourrir les chers petits affamés.

– Bon, cria-t-elle, descendez m'aider pour le dîner.

Pas de réponse, naturellement : elle descendit seule.

Ce soir, tourte aux cartilages de dinde et – voyons, pourquoi pas purée de pommes de terre en flocons? Ça fera une exquise garniture avec une poignée de bretzels.

Elle s'attela à ses préparatifs; de temps en temps elle jetait un œil sur la cour-jardin du voisin qui chevauchait sa tondeuse à gazon, tel un géant fou sur un tricycle d'enfant. Dans son jardin à elle, il ne poussait qu'une herbe rachitique : Harvey, perpétuellement en quête d'os imaginaires, ne cessait d'y faire plein de trous. Le chien la regardait dans cette attitude de supplication qui n'appartenait qu'à lui : une oreille levée, l'autre baissée.

– Qui a mangé le manche à balai, Harvey? C'est quelqu'un qu'on connaît?

Harvey se lécha les babines jusqu'à la truffe.

– Pourquoi, Harvey? Qu'est-ce qui a bien pu t'agiter à ce point-là? C'est ce petit caniche français avec son nœud dans les frisettes? C'est ça qui t'a mis dans tous tes états?

Harvey secoua la tête et poussa un sourd grognement, puis se mit à geindre. La nourriture n'avait pas fait son apparition de la journée. Tout le monde avait oublié l'affaire essentielle de la maisonnée qui était de donner à manger au chien. Qu'est-ce qui se passait? Est-ce que c'était à cause du monstre, là-haut?

Il faudra que je me le fasse un de ces jours, pensa Harvey tranquillement.

Mary se dirigea vers la cage d'escalier.

– Descendez ou ça va barder, annonça-t-elle avec aménité.

On entendit enfin l'habituelle charge de rhinocéros dans l'escalier, et sa progéniture apparut. Ils avaient tous des airs mystérieux.

– Qu'est-ce que vous mijotez encore? Allez, dites-le! Vous savez, c'est vraiment cousu de fil blanc, vos histoires.

– Mais y a rien, maman.

Michael s'assit à table. Gertie prit place à côté de lui.

Gertie zieuta la tourte.

– Beurk!

– Chérie, je t'en prie. Elliott, s'il te plaît, passe-moi le sel.

Elliott la regardait sournoisement:

– Je me suis installé une maison dans la penderie, aujourd'hui.

– Une maison? Quel genre de maison?

– Le genre planque.

– Ah bon! Je me demande bien où tu en as trouvé le temps, avec tout le bordel que tu avais à mettre là-haut.

– Je peux laisser la penderie comme ça?

– Elliott, tu es sûr que tu n'es pas en train d'esquiver tes responsabilités? Les enfants ne peuvent pas passer leur temps dans un placard.

– Mais je vais pas y rester tout le temps. Juste un petit peu.

– Bon, j'y réfléchirai, dit Mary. (Manière de parler qui signifiait qu'elle n'avait pas le choix et qu'Elliott pourrait la tarabuster jusqu'à ce qu'elle capitule. Elle essaya de changer de conversation et prit un air suave:) Ces pommes de terre sont délicieuses, vous ne trouvez pas?

– Beurk!

– Reprends-en, Gertie, puisque tu aimes tant ça.

– A la maternelle, on mange mieux, dit Gertie. On a des gros beignets au chocolat.

– Ah bon! Il faudra que j'aille en parler au directeur.

– C'est un pervers.

– Gertie, ne prononce pas des mots dont tu ne connais pas la portée.

– Pervers, pervers..., chantonnait Gertie tranquillement dans son assiette.

Mary se prit la tête dans les mains.

Le vieux transfuge s'extirpa de sa cachette. L'espace de la chambre s'étendait devant lui : un chaos qu'il avait lui-même provoqué en cherchant des pièces détachées pour son poste émetteur ; il reprit ses investigations.

Réglés sur le plus fort grossissement, ses yeux balayèrent la pièce. Le ballet des électrons apparut à sa vue, mais ces mouvements giratoires qui agitaient la matière ne lui étaient d'aucun secours. Ce qu'il lui fallait c'étaient de bons gros objets macroscopiques, comme ce tourne-disque.

Il revint au grossissement ordinaire, et s'approcha de l'appareil. Le plateau était vide. Il le fit tourner avec le doigt.

Comment pouvait-on coupler une fourchette avec ça ?

Pour la réponse, patientez.

Il hocha la tête. La solution de son évasion était dans ce genre de signaux, émis par une machine tournante qui émettrait dans la nuit, fils d'espoir jaillissant par centaines de millions, radieux comme la chevelure soyeuse de la créature élancée à la silhouette de jeune saule.

D'en bas montait le bruit des fourchettes – maintenant il le connaissait bien –, le tintement des verres et des assiettes, et l'écho déformé des voix.

– Maman, pourquoi les enfants peuvent voir des choses que tu peux pas voir ?

– Qu'est-ce que tu as vu, Gertie? Le gobelin d'Elliott?

– Maman, qu'est-ce que c'est, les gens qui sont pas des personnes?

La personne qui n'était pas une personne sut que les enfants ne feraient pas exprès de la trahir, mais la petite fille pourrait causer bien des ennuis, absolument incapable qu'elle était de comprendre la nécessité du secret.

Cependant, pour l'instant, il n'y avait rien à craindre. Le dîner tirait à sa fin. Apparemment, une grande quantité de M & M avait été consommée. Il espérait qu'on lui en apporterait un peu tout à l'heure.

– Bon, qui est-ce qui fait la vaisselle?

La voix de la femme-saule lui parvint, escortée de son image télépathique : sa tête était auréolée de vagues de filaments radieux plus fins que la soie. Si seulement la forme de son nez avait pu ressembler à celle du chou de Bruxelles cabossé...

Il fit à nouveau tourner le plateau du tourne-disque avec le doigt.

Le pas d'Elliott retentit dans l'escalier, et le garçon entra dans la chambre, portant un plateau.

– Voilà ton dîner, chuchota-t-il, et il le lui tendit.

Sur l'assiette, il y avait des feuilles de salade, une pomme et une orange. L'ancien étudiant de sciences botaniques prit l'orange et la mangea, avec la peau et tout.

– Tu les manges toujours comme ça?

Le vénérable astronaute fronça les sourcils; la prochaine fois, il faudrait laver le fruit d'abord, lui conseillait son analyseur interne.

– Comment ça se passe ici pour toi? Ça va?

Elliott remarqua que le plateau de l'électrophone tournait.

– Tu veux entendre quelque chose?

Le monstre fit un signe affirmatif. Elliott choisit un disque et abaissa le bras de l'appareil.

Il y aura des accidents
Mais ce n'est que du rock and roll.

Le vieux routard des étoiles entendait ces sonorités si particulières; il regardait tournoyer le disque noir, l'esprit entièrement accaparé par ses plans d'évasion. Le Vaisseau ne réagirait pas à ce *rock and roll*, à ce roulis de rocs sur pente abrupte. Il fallait émettre dans le langage authentique de son peuple. Comment pourrait-il moduler les sons qui sortaient de l'appareil et en démultiplier les fréquences pour les adapter au registre des micro-ondes?

Mais soudain son oreille capta la voix de la créature à la silhouette de saule.

– Gertie, qu'est-ce que tu fais, ma douce?

– Je vais jouer dans la chambre d'Elliott.

– Ne te laisse pas tarabuster.

L'enfant entra, traînant un petit camion rempli de jouets. Elle avait apporté un géranium en pot, qu'elle installa aux pieds du vieux botaniste.

Il contempla l'offrande. Son cœur-lumière se mit à battre.

– Merci, petite fille, c'est très gentil.

Le chien Harvey entra. Il flaira le monstre, puis le géranium. N'avait-il pas besoin d'un petit arrosage?

– Harvey, sois sage.

Michael entra, espérant que d'une manière ou d'une autre le monstre aurait disparu, mais il était toujours là et, apparemment, il faudrait compter avec lui. Il l'étudia un instant puis se tourna vers Elliott.

– Ce n'est peut-être qu'un animal dont on ignorait l'existence.

– Sois pas débile, Michael.

– Moi, je ne crois pas à ce genre de trucs.

– Moi, maintenant, j'y crois. En fait, j'y ai toujours cru.

Gertie déballait tous ses cadeaux.

– Voilà, il y a de la pâte à modeler. Tu sais y jouer?

L'extra-terrestre prit la pâte dans sa main et l'éleva à sa bouche, s'apprêtant à en absorber une copieuse bouchée.

– Mais non, tu la roules, idiot.

Gertie lui montra comment faire, et il se mit à rouler une boule de pâte entre ses deux paumes.

– J'ai une idée, dit Elliott. File-moi la mappemonde.

Michael la lui tendit. Elliott fit pivoter le globe et amena l'Amérique du Nord face au vagabond des étoiles.

– Regarde, tu vois, nous on est là...

Le vieux routard hocha la tête. Il reconnaissait parfaitement la configuration du territoire qu'il avait si souvent survolé, à peu près sous cet angle. Ah oui! Il la connaissait, la planète, il la connaissait même trop bien...

– Ouais, dit Elliott, bon, nous on est d'ici. Et toi, tu viens d'où?

Le vieil astronaute se détourna et regarda par la fenêtre le ciel plein d'étoiles.

Elliott ouvrit un atlas et montra une image du système solaire.

86

– Es-tu de cette partie-là de l'Univers?

Le monstre prit la pâte à modeler et fit cinq petites boules qu'il disposa sur la carte autour d'une boule-soleil centrale.

– Cinq? Tu viens de Jupiter, alors?

Il ne comprenait rien à leur jargon, à leurs questions.

Il pointa son doigt vers les cinq petites boules et libéra un élévateur d'électrons. Les boules s'élevèrent dans l'air de la pièce et lévitèrent au-dessus des enfants.

Là, elles se mirent en orbite, tournant encore et encore. Les enfants gémissaient. Leurs jambes semblaient se dérober sous eux.

– Oh non!...

Est-ce qu'il les avait choqués?

Il arrêta le mécanisme électronique et les boules retombèrent sur le plancher.

Puis il réintégra le placard, son géranium dans les bras.

6

– Maman, dit Gertie, Elliott a un monstre dans son placard.

– Très bien, chérie.

Mary était sur le sofa du living-room, les pieds en l'air, et elle s'efforçait de son mieux de ne pas entendre les enfants, ce qui se compliquait de minute en minute car Elliott venait de taper sur sa sœur avec un journal roulé en cylindre.

– Waaa! hurla Gertie. Elliott, je te déteste!

— Arrêtez ça.

Mary se tourna vers eux, une épaisse couche de crème sur la figure; son visage semblait noyé dans de la graisse de machine. Mais sous la couche, les rides disparaissaient comme par enchantement, du moins elle y comptait fermement.

— Elliott, sois gentil avec ta sœur.

— Pourquoi?

— Parce que c'est ta sœur.

— Bon, viens Gertie, dit Elliott, changeant subitement son fusil d'épaule. On va jouer dans le jardin.

— J'aime mieux ça, dit Mary.

Et elle fit à nouveau pivoter sa tête sur les coussins du sofa. Elle voyait les objets autour d'elle à travers un halo crémeux, et elle avait l'impression d'avoir reçu une tarte à la crème en pleine figure. Mais quand elle ôterait la couche épaisse, le Nouveau Moi apparaîtrait, radieux. A condition que la maison reste relativement calme. Elliott sortait avec Gertie par la porte du fond. Mary pouvait entendre sa voix. Ce qu'il pouvait être gentil et affectueux avec sa petite sœur, quand il voulait.

— Si tu dis encore un mot du monstre, chuchotait Elliott tandis qu'ils entraient dans la cour-jardin, je prendrai tes poupées et je leur arracherai les cheveux un par un.

— Essaie pour voir, dit Gertie, ses petits poings serrés sur ses petites hanches.

— Gertie, le monstre est... un cadeau énorme et inespéré.

Elliott se débattait avec ses propres pensées, il essayait de trouver des mots pour traduire ce qu'il ressentait, à savoir : un grand dessein avait fait

88

irruption dans leurs vies et c'était la meilleure chose qui pût leur arriver.

— Il faut qu'on l'aide, dit-il enfin.

— Ben moi, je trouve qu'il a l'air d'un gros jouet, dit Gertie.

— Ce n'est pas un jouet. C'est une créature prodigieuse, venue de là-haut. (Il montrait le ciel.)

Gertie eut une moue dubitative.

— Mais quand même, moi je trouve que c'est un jouet. Et Maman a dit qu'on devait partager ses jouets et laisser les autres jouer avec.

— Je partagerai avec toi. Mais tu ne dois pas en parler. C'est un secret.

— Secret, secret, lalalère! chantonna Gertie. Moi, je sais un petit secret...

Elle regardait Elliott, une lueur espiègle dans les yeux.

— Qu'est-ce que tu me donneras si je dis rien?

— Qu'est-ce que tu veux?

Gertie eut un sourire de triomphe:

— Tes talkies-walkies.

Il ne pouvait rien lui arriver de mieux; elle avait réussi à faire céder son frère.

— O.K., dit-il, tu peux les avoir.

— Et aussi, il faudra que tu joues à la poupée avec moi.

Les yeux d'Elliott s'embrumèrent de douleur.

— Alors les poupées prennent le thé.

Gertie était dans sa chambre et installait la table à thé. Les poupées étaient assises, bavardant aimablement.

— Et ma poupée dit à ta poupée : « Les garçons sont horribles. Vous ne trouvez pas? » Et alors ta poupée répond...

Elliott écouta la réponse que sa poupée était censée faire, et il la fit pour elle, bougeant la tête de la poupée, et bougeant son bras pour qu'elle prenne la tasse de thé.

En pensée, il revit avec nostalgie le temps où il faisait de la planche à roulettes au beau milieu des thés de Gertie, bousculant les poupées, renversant les chaises et la table, puis repartant ailleurs en riant. Cette merveilleuse époque était-elle enfuie à jamais?

Mary passa la tête dans l'encadrement de la porte.

– C'est très gentil de ta part, Elliott.

– Elliott va jouer à la poupée avec moi *tous les soirs* maintenant, annonça Gertie, tout heureuse.

La poupée d'Elliott poussa un gémissement et glissa sous la table.

Quand Tyler arriva pour la partie de Donjons & Dragons, il fut accueilli par un étrange spectacle. Elliott était dans la cuisine avec Gertie, et il s'échinait sur un fourneau miniature à la mode de Betty Crocker. Il avait un tablier et il tenait un petit moule à brioches.

– Hé! Tu craques, ma parole?

Tyler pencha dans l'embrasure sa carcasse efflanquée de gamin grandi trop vite. Il était tout en bras et en jambes.

Elliott ne rata pas l'occasion de l'appeler « l'homme en plastique », ce qui avait le don de mettre Tyler dans tous ses états car sa hantise était de dépasser les deux mètres.

– Qu'est-ce que tu fous, Elliott?

Tyler se pencha de toute sa hauteur sur la cuisinière miniature. Gertie, aux anges, trottinait tout autour. Son frère, réduit en esclavage, mélangeait à de l'eau Dieu sait quelle cochonnerie.

– On dirait du gobelin haché.

– Ecrase, Tyler, tu veux?

Elliott s'essuya les mains sur le tablier à fleurs.

– Dis donc, je te rappelle qu'on a une partie de D & D, ce soir.

– Il joue avec moi pour toute la vie, dit Gertie.

La porte du fond s'ouvrit et Greg, l'orque, entra. Il avait un T-shirt fluorescent qui lui donnait l'air d'un esquimau glacé Popsicle, ressemblance accentuée par le fait qu'il ne cessait de baver en parlant.

– Hé, qu'est-ce qui se passe, ici?

– Rien, vieille passoire, siffla Elliott sans lâcher sa mixture à brioches.

– Avec Elliott, on fait des tartes de dragon.

Greg balança le dossier d'une chaise devant lui, et s'y accouda, à califourchon. Il avait un sourire quelque peu équivoque.

– Qu'est-ce que tu mijotes? Tu vas abuser d'elle ou un truc comme ça? (Il projetait sa salive sans arrêt.) On aura tout vu!

Il lança à Elliott un regard de biais. Jusqu'à présent, à sa connaissance, Elliott avait été comme tous les autres frères du monde, ne prenant plaisir à jouer avec sa sœur que quand le jeu était vraiment intéressant – par exemple la chatouiller, jusqu'à ce qu'elle fasse quasiment une dépression nerveuse, jeu qu'il appréciait particulièrement, lui, Greg, avec sa propre sœur. Ou l'attacher à un arbre et, ensuite, la chatouiller. On entrer en trombe dans la salle de bains avec quatre ou cinq autres mecs pendant qu'elle prenait son bain et puis rester là à rire pendant qu'elle hurlait. Voilà des jeux! Mais ça. De pensives gouttes de salive tombèrent de sa lèvre inférieure sur son T-shirt au néon.

Par la fenêtre, on pouvait voir arriver le dernier membre de l'équipe de Donjons & Dragons, Steve, qui portait une casquette de base-ball agrémentée de deux lourdes ailes. Il mit ses doigts derrière les ailes, les agita en guise de salut et entra.

Elliott glissait ses muffins dans le fourneau miniature.

— Ne dis rien, grogna-t-il.

— Qu'est-ce que tu veux que je te dise?

Steve agita à nouveau les ailes de la casquette. Ce sont des choses qui arrivent. Lui aussi avait été victime d'un chantage de la part de sa sœur. Il aurait fallu être sur ses gardes tout le temps, garder les portes fermées à clef, les lumières éteintes. Il aurait fallu être infiniment *prudent*.

— Avec Elliott, on a une petite pâtisserie, dit Gertie en chantonnant au milieu de ses répugnants gâteaux. Et tout le monde nous achète nos gâteaux, même le Père Noël.

Elle tourna les boutons du four et referma la porte. Puis elle regarda Elliott et fit jouer l'espiègle secret dans ses prunelles. Elliott eut une grimace de douleur et inaugura une nouvelle fournée de ces brioches à la gomme.

7

Au milieu de la nuit, l'extra-terrestre, se redressant sur ses coussins, put voir Elliott qui enjambait la fenêtre de sa chambre et sautait sur le toit de tuiles.

Où allait-il?

De la lucarne du cagibi, le navigateur de l'espace vit Elliott glisser sur le toit en pente et dévaler les marches de l'échelle qui menait au jardin. Il fut bientôt hors de vue.

Le vieil écumeur de l'espace suivait télépathiquement le trajet de l'enfant : Elliott était parti en direction des collines. Peut-être allait-il tout simplement chercher des vivres pour son ami.

Mais non, l'enfant grimpait vers la redoutable allée pare-feu, là où les ennuis avaient commencé.

Les délicates antennes mentales de l'extra-terrestre vibraient spasmodiquement : dans l'épaisseur de la nuit, il pouvait percevoir le cliquetis des trophées suspendus à l'abominable trousseau.

Elliott n'était pas seul sur la piste.

Quelqu'un d'autre était là, quadrillant l'ombre. Mais qui cherchait-il?

Comme s'il y avait le moindre doute possible...

Il pouvait entendre le pas lourd, sentir le froid, et percevoir la présence du Terrien dont le regard inquisiteur transperçait la nuit de son propre rayonnement télépathique.

Le vénérable spationaute coupa son radar psychique et se rencogna au fond de la penderie. De nouveau, ils étaient là à le traquer avec leurs aveuglants projecteurs. De nouveau, ils ratissaient le moindre centimètre carré de ces collines. Leur radar interne leur disait : l'extra-terrestre est dans les parages, et nous le trouverons. Et nous le ferons empailler. Et mettre sous globe.

Il tendit la main, prit un biscuit Oreo et le croqua nerveusement. Il ne fallait pas qu'on le trouve.

Jamais. Mais ils le serraient de bien près. Et Elliott qui était là-haut à les espionner! Et si jamais il se faisait prendre? Le forceraient-ils à révéler ce qu'il savait à propos d'un certain être bizarrement conformé, hôte actuel de sa penderie?

Il se tourna vers son géranium et le prit à témoin. La plante pivota sur sa tige et lui fit face. Ses boutons jusqu'alors fermés se déplièrent et elle s'épanouit dans un foisonnement de fleurs d'un rouge éclatant. Le géranium poussa alors un profond soupir, presque d'agonie tant l'effort avait été terrible, mais le botaniste se mit à le caresser de ses longues mains effilées et à lui parler tout doucement. Ce discours cosmique, quintessence de l'expérience accumulée dans d'innombrables mondes, raviva la plante qui se maintint dans toute la gloire de cette prodigieuse éclosion.

– Ta voix est le plus pur des élixirs de croissance, Vénérable Maître, dit le géranium.

– Oui, mais je ne parle toujours pas le langage de la Terre.

Le respectable navigateur se gratta la tête. Il avait absolument besoin de connaître parfaitement le langage terrien, s'il voulait aller et venir et faire connaître ses desiderata.

Gertie lui avait laissé son ABC. Il l'ouvrit sur ses genoux et analysa lentement les contours de la lettre M.

Elliott était à plat ventre dans les broussailles, sur le bas-côté de la piste pare-feu, et regardait passer les agents fédéraux qui quadrillaient le terrain à l'aide de leurs puissantes lampes. S'il était débusqué, il leur raconterait qu'il promenait le chien.

Harvey se pelotonna à côté de lui. Il frissonnait nerveusement. L'animal éprouvait un besoin irrépressible de se jeter sur l'homme au trousseau de clefs et de le mordre à la main. Quiconque possédait pareil nombre de clefs devait absolument être mordu; cela, Harvey le sentait.

– Il n'y a absolument plus rien par ici, ce soir, dit l'un des fédéraux.

– Je sais. Mais j'ai tout de même le sentiment que nous sommes observés. (L'homme aux clefs promena sa lampe-torche le long du bord de l'allée.) Mais par qui?

Par un chien à moitié mort de faim, se dit Harvey, et il se demanda si l'un des véhicules garés sur le sentier ne contenait pas, par hasard, un stock de rations de survie d'os synthétiques lactés. Il tenta de filer en avant, mais Elliott le retint.

– Du calme, Harvey, chuchota Elliott en reculant dans l'ombre.

Une minute plus tard, il descendait silencieusement la dune sablonneuse, Harvey culbutant sur la pente, à ses côtés.

Un milliard d'étoiles brillaient dans le ciel. Et Elliott savait qu'un des plus grands secrets de la nuit se cachait dans sa chambre. Il ne le livrerait jamais, même s'il devait être arrêté et torturé.

Pour sa part, Harvey aurait été volontiers vendeur pour un seul Milk Bone, pour un seul de ces os lactés, mais personne ne lui demandait son avis. Il continua de trottiner, tentant d'échafauder un plan.

– Harvey, dit Elliott paisiblement, nous avons un énorme trésor avec nous, tu sais?

Harvey regardait fixement le trottoir. Tout ce qu'il savait, c'est qu'il n'y avait pas assez d'aliments pour chiens dans le monde entier.

– Je l'aime, Harvey. C'est le meilleur petit mec que j'aie jamais rencontré.

Elliott leva la tête et chercha à distinguer parmi les milliers d'étoiles celle de son nouvel ami.

Elles lui appartiennent toutes, chuchota une voix qui paraissait venir du clair de lune.

Harvey, tout ravigoté, dressait l'oreille : il lui semblait avoir entendu quelqu'un... qui froissait un sac de croquettes...

Mais la rue était vide.

Brusquement, Mary fut réveillée par un bruit qui venait du toit. Elle enleva ses compresses oculaires et s'assit dans son lit...

Mais le bruit avait déjà cessé et la maison était de nouveau silencieuse. Elle alla à la fenêtre. Le jardin était vide, à l'exception de Harvey furieusement occupé à faire un trou.

Elle tira un voile sur ce chien dément et alla se remettre au lit. Il se passait des choses étranges, elle le savait. Mais quoi ? Que manigançaient les enfants ?

Elle lissa son oreiller et l'étreignit, tout ensommeillée. Un rêve qu'elle venait de faire lui revint. Elle dansait, comme c'était bien... avec quelqu'un qui lui arrivait au nombril.

Ses paupières se fermèrent et l'étrange musique reprit : un timbre singulier, une musique aux accents de guitare électronique, avec des fioritures... et elle se sentit virevolter à nouveau. Son partenaire restait hors de vue, le nez pressé contre son ventre.

– Il faut le dire à maman, Elliott, c'est trop grave.

– Non, il veut rester avec nous.

Les deux frères marchaient vers l'arrêt du bus de ramassage scolaire. Michael était bouleversé. Son univers avait basculé. Il n'était plus le moins du monde occupé par les choses vraiment vitales : échappées vers la ligne de but ou percées offensives du demi d'ouverture; son esprit n'était agité que d'idées saugrenues concernant des satellites en orbite ou la surface de Mercure.

– Elliott, dis-toi bien que c'est un habitant de l'espace. Nous ne savons absolument pas ce qu'il a l'intention de faire, ni pourquoi il est là. Nous pourrions très bien nous réveiller un jour sur Mars ou ailleurs, entourés de millions de petits mecs dans son genre, à l'allure de courge.

Mais Elliott ne l'écoutait pas. Un visage inconnu lui semblait détonner dans le paysage matinal de la rue.

– Tiens, le laitier, c'est un nouveau.

– L'autre doit être en vacances, et ils l'ont remplacé.

– Ecoute, Michael, tout d'un coup, il y a des gens ici, dans ce quartier, qu'on a jamais vus avant. Regarde la voiture, là, l'homme assis dedans qui lit son journal... Ils *le* cherchent, j'en suis sûr.

– Qui, ils?

– Ils sont là. Ils sont dans les collines.

– Tu ferais bien de trouver une solution avant qu'ils ne nous repèrent.

– Mais il lui faut du temps pour élaborer sa stratégie.

– Peut-être qu'il n'est pas aussi fort que tu crois, peut-être que c'est comme pour une ouvrière dans la ruche, qu'il ne sait qu'appuyer sur le bouton, ou des machins pareils.

– Mais Michael, il... il nous dépasse de cent coudées. Tu n'as pas idée...

– Ah, ouais? Alors pourquoi il est obligé de rester dans notre cagibi?

– Il n'a pas eu de chance, c'est tout, mais nous, on va changer ça.

– Elliott, nous ne sommes que des enfants ignares, tu comprends? Si quelqu'un l'aide, ça devra être des savants entraînés ou un truc comme ça. Des mecs avec... avec plein de diplômes. Ils pourront le tester, le nourrir mieux.

– Mais on lui donne tout ce qu'il faut...

– Des biscuits Oreo, Elliott... C'est pas un régime, ça... Peut-être que tu es en train de le tuer sans t'en apercevoir.

Le visage d'Elliott s'assombrit.

– Michael, dit-il d'une voix angoissée, si nous nous en débarrassons sur quelqu'un d'autre, il ne rentrera jamais chez lui. Ça c'est sûr, je le sais.

– Comment tu le sais, Elliott, comment?

– Je le sais. C'est gravé en moi en lettres de feu. Ça n'arrête pas de me hanter. Il nous a choisis parce qu'on est les seuls à pouvoir l'aider vraiment.

– Mais pourquoi nous, spécialement? On est personne! On a aucun argent, on a aucune idée, on a même pas de père!

– Ça lui est égal. Tout ça, il le sait. Mais nous, on va pouvoir combiner, coupler pour lui...

– Coupler quoi?

– Un truc, un truc.

Elliott cherchait ses mots; on eût dit que, venant juste de se réveiller, il tentait de se rappeler un rêve, un rêve envoyé par la créature spatiale: l'image même de la machine qui permettrait son évasion. Mais le rêve s'était déjà évanoui et ils arrivaient à l'arrêt du bus.

Tyler, Steve et Greg étaient là, à se chamailler. Voyant Elliott arriver, ils se mirent à l'asticoter en chœur.

– Alors, Elliott, comment va la boutique de pâtisseries, aujourd'hui? T'as fait d'autres tartes?

– Tyler, va te faire foutre.

Greg aspergea Elliott de quelques considérations sagaces sur Gertie. La salive luisait sur sa lèvre torve. Il lui prodigua un robuste conseil:

– Baise-la dans le panier du linge.

Les ailerons de Steve s'agitèrent.

– Dis donc, Elliott, j'ai oublié de te demander: qu'est-ce qui est arrivé à ton gobelin? Il est revenu?

La tension qui pesait sur Elliott depuis qu'il était tenu de jouer à longueur de soirée à la poupée, aux osselets, à la marelle et de pâtisser toutes ces tartes au terreau, avait eu raison de son sang-froid. Il se trahit.

– Ouais, il est revenu. Et puis d'abord, c'était pas un gobelin, c'était un habitant du cosmos.

– Hein? Quoi? Qui c'est qui est un habitant du cosmos? (Un petit rouquin à la voix perçante et nasillarde s'était joint au groupe.) Tu sais combien de temps ça met pour aller de la Terre à Uranus?

– Anus toi-même, Lance, dit Elliott, qui se mordait déjà les doigts d'avoir trop parlé.

Lance avait le regard brillant et ce sale petit fouineur avait tout l'air d'avoir deviné qu'il se passait quelque chose.

Le bus de l'école s'arrêta dans le virage et les enfants montèrent, passant devant un nouveau chauffeur.

– Eh ben? Et George? Qu'est-ce qui lui est arrivé?

– Il est malade, dit le chauffeur qu'aucun d'eux n'avait jamais vu de sa vie.

Gertie n'était pas à la maternelle, aujourd'hui. Elle aurait dû, normalement, mais elle avait fait semblant d'être malade et elle avait obtenu que le concierge la reconduise à la maison, pour jouer tranquillement avec le monstre.

Parce qu'Elliott gardait le monstre pour lui tout seul.

Elle sortit son camion et commença à mettre des jouets dedans, elle savait que le monstre aimerait ça. Elle espérait qu'il allait rester chez eux pour toujours et qu'il se marierait avec maman.

Elle trimbala le camion dans le couloir. Arrivée dans la chambre d'Elliott, elle ouvrit la porte de la penderie et entra. Le monstre regardait en l'air et roulait les yeux dans tous les sens. Gertie l'imita en gloussant et s'assit par terre à côté de lui, avec son chariot.

– Tu es un gros jouet?

Elle le toisa des pieds à la tête.

– Bon, si t'es pas un gros jouet, qu'est-ce que tu es, alors?

Il recula dans un coin du placard. Il paraissait un peu effrayé. Elle, elle n'était pas effrayée du tout, plus du tout en tout cas; la nuit d'avant, elle avait rêvé que le monstre l'emmenait dans un très bel endroit, loin dans les étoiles. Il lui avait pris la main et lui avait montré des fleurs merveilleuses, de bizarres petits oiseaux s'étaient posés sur sa tête et s'étaient mis à chanter pour lui, et il y avait une très belle lumière pour éclairer.

Elle lui prit la main.

– N'aie pas peur, c'est comme dans le rêve. (Elle lui tapota la main et le caressa comme elle l'aurait fait avec Harvey.) Avec Elliott, on va faire attention à toi, pour que tu ne te fasses pas de souci, même si tu es un gros énorme jouet. Ça, c'est mes poupées, dans le camion, tu vois? Tu trouves pas qu'elles ont des beaux cheveux? Toi, t'as même pas de cheveux, tu sais?

L'extra-terrestre contemplait l'enfant. Bien sûr, il la trouvait de meilleure compagnie que Harvey, mais en quoi une gamine pareille pourrait-elle lui être d'un secours quelconque pour rejoindre les siens? Evidemment les enfants pourraient le cacher, oui, pendant un certain temps. Mais ce qu'il lui fallait c'était de la haute technologie, pas un camion plein de poupées.

– Ça c'est mon rouleau à pâtisserie, et ça c'est ma veste de cow-boy; elle est belle, hein? Et ça, c'est mon Dictographe. Tu as jamais joué avec un machin comme ça?

L'homme qui venait d'ailleurs prit la boîte luisante dans ses longues mains effilées. Son esprit passa aussitôt la vitesse supérieure et son cœur-lumière se mit à battre.

– C'est pour apprendre comment ça s'écrit, les mots, dit Gertie. Regarde.

Elle pressa une touche sur le cadran, un touche marquée A.

Le Dictographe se mit à parler à Gertie. Une voix d'homme proféra : " A ".

Elle pressa la touche B et la boîte dit " B ".

Le navigateur pressa la touche M et il entendit : " M ".

– Maintenant, regarde, dit Gertie, et elle pressa la touche marquée *Go*.

La boîte se mit à parler :

« ÉPELLE : MÉCANICIEN. »

Gertie appuya sur une série de touches, mais son orthographe n'était pas encore très au point. La boîte dit :

« NON. FAUX. ESSAYE ENCORE UNE FOIS. »

Elle fit une deuxième tentative. La boîte dit :

« MAUVAIS. ESSAYE ENCORE UNE FOIS. »

Ce qu'elle fit. La boîte dit :

« PAS BON. LA BONNE ORTHOGRAPHE EST M.É.C.A.N.I.C.I.E.N. »

L'astronaute couvait littéralement l'appareil du regard, ses yeux lançaient des éclairs. Cette machine allait lui apprendre à parler un langage d'entre les langages de la Terre. Sûrement. Mais ce n'était pas cela le plus important. Le fait capital – qui importait à tout l'Univers – c'était que la machine était... un ordinateur.

Son scanner mental explorait déjà les entrailles de l'appareil, parcourant fébrilement le microprocesseur, le synthétiseur de voix humaine, les puces porteuses de mémoire. Ses mains tremblaient.

– Eh, tu te sens pas mal ? Ça va ?

Gertie posa sa main sur le bras de l'antique créature.

Il lui fit un signe affirmatif, mais son regard restait fixé sur le précieux instrument, cependant que son cerveau galopait, trouvait les équations et les équations de rechange, et l'indication de voies et moyens pour reconquérir la liberté. Tout cela venait de cette petite boîte.

Gertie se remit à presser les touches.

« FORME LE MOT NUISANCE », dit la boîte.

Elle se mit à épeler le mot, tout de travers. Le grand aîné la regardait faire. Il attendait patiemment qu'elle se fatigue du jeu.

– Bon, monsieur le monstre, la leçon d'orthographe est terminée pour aujourd'hui. Je reviendrai une autre fois.

La petite quitta la pièce en gambadant. Le monstre retourna la boîte sur ses genoux et ôta le fond. Merveille des merveilles! Il caressa les circuits imprimés. Il tenait là le cœur de son émetteur.

Il croqua un Oreo et se mit au travail. Un schéma lumineux du Dictographe apparut à son esprit tandis qu'il continuait à l'examiner. Les subtils mécanismes n'avaient désormais plus de secret pour lui. Le contenu de l'information stockée là, le logiciel aussi, étaient véritablement un jeu d'enfants pour le vieux cavaleur de l'espace qu'il était. Les ordinateurs étaient de vieilles connaissances pour lui, depuis toujours. Amusante invention que ce microprocesseur parlant!

« FORME LE MOT MÉCANICIEN. »

Le pavillon de son oreille se délia et il s'astreignit à une écoute intensive de la machine. Son esprit rapide saisissait au vol les phonèmes constituant l'armature du langage.

« FORME LE MOT NUISANCE. »

Ses propres circuits bourdonnaient d'activité, assimilaient, synthétisaient. Une lueur passait dans ses yeux chaque fois qu'il passait à la bande de fréquence supérieure dans le spectre des ondes d'apprentissage. En d'autres temps, sur d'autres planètes – planètes mortes, planètes perdues désormais – il avait eu en main d'antiques tablettes et avait acquis la maîtrise de langues très anciennes. Et voilà qu'aujourd'hui il avait sur les genoux une autre tablette du même genre, le Dictographe de la Terre, la pierre de Rosette électronique qui lui permettrait la maîtrise des signes et des sons sur cette planète.

« FORME LE MOT RÉFRIGÉRATEUR. »

Le mot apparut en lettres subtilement lumineuses sur l'écran de son scanner intérieur, et il put voir simultanément l'image de l'objet signifié, il put voir un réfrigérateur, lieu entre tous où étaient conservés le lait et les petits gâteaux.

– Ré-fri-gé-ra-teur!

Sa bouche s'enroulait toute seule, du même mouvement, autour du mot et autour du concept. Son ventre semblait parler et comprendre, lui aussi; toutes ses coordonnées internes concouraient vers le précieux son.

Ainsi stimulées, les aires du langage de son prodigieux cerveau donnaient leur maximum; une centaine de langues emmagasinées resurgissaient, tandis que références et références croisées se mettaient en place, de sorte que le lexique de la Terre put être embrassé d'une vue globale par l'œil de l'esprit. Il repérait ses éléments fondamentaux, puis se saisissait de ses franges délicates...

– Bonbon, gâteau...

Bientôt, il posséderait complètement le vocabulaire courant, et il pourrait s'adapter à toutes les situations et dire des choses importantes.

– Glace... vanille...

Il pressait les touches de la machine, avec acharnement.

C'était vraiment un sympathique machin, à la fois professeur et copain de route. Mais ça devait devenir bien davantage.

Car ce machin, conçu pour reproduire le langage

104

de la Terre, pourrait, grâce au microprocesseur qu'il comprenait, faire qu'il parle aussi un autre langage, qui serait précisément le sien, et il allait programmer la machine pour émettre vers les étoiles.

Sa seule erreur de la journée fut d'avoir oublié de débrancher la communication télépathique de secours entre Elliott et lui. Complètement accaparé par le Dictographe, il n'avait plus pensé à Elliott, mais les subtiles connexions télépathiques étaient toujours en prise, et elles furent l'occasion pour Elliott de moments bien difficiles. En effet, il était censé disséquer une grenouille en classe de biologie.

Le professeur allait commencer ses explications, mais voilà qu'un de ses studieux élèves venait d'être le destinataire d'un message incandescent, concernant le circuit imprimé du Dictographe.

– Nous allons commencer par fendre la peau...

Le professeur montra la bassine pleine de grenouilles en chair et en os :

– ... et l'écarter pour pouvoir jeter un coup d'œil à l'intérieur de l'animal. (Il prit une grenouille et traça une ligne verticale rouge sur son abdomen.) Nous ferons notre incision... Elliott, pouvez-vous me dire ce que vous êtes en train de faire ?

Le professeur regardait fixement la feuille destinée au compte rendu de laboratoire qu'Elliott couvrait furieusement de diagrammes de circuits électroniques hautement sophistiqués; sa main semblait mue par l'écriture automatique, comme s'il eût été le jouet d'un fantôme.

Le fantôme n'était autre, naturellement, que l'extra-terrestre caché dans le cagibi, saturant à distance l'esprit d'Elliott des mille mystères de la parole digitale codée en binaire et de la mémoire programmable.

Mais le professeur ignorait tout de l'affaire. Son élève, qui d'ailleurs, de façon générale, était déjà un élève à problèmes, ignorait superbement son cours et était occupé à écrire si fiévreusement que son front était couvert de sueur. A tel point que, tout à coup, toute la classe se mit à le regarder.

– Elliott...

Le garçon écrivait sans s'arrêter, sa main débordait de la page, il écrivait sur le pupitre, dans les airs. Il se dirigea vers le tableau, fit remonter d'un coup sec la planche anatomique de la grenouille qui y était suspendue et commença à écrire à la craie.

Tyler, Greg et Steve le regardaient fixement, littéralement ahuris. Tyler étendit ses longues jambes sous le banc jusqu'à la cheville de Greg. Il désigna Elliott et mima à l'intention de Greg une vrille sur le côté de la tête.

Greg acquiesça, de copieuses quantités de salive s'amassaient au coin de ses lèvres, témoignant du très vif intérêt que lui inspirait le spectacle d'Elliott couvrant comme un fou le tableau de ses griffonnages. D'étranges diagrammes jaillissaient du bout de craie : ça ressemblait beaucoup à des circuits imprimés ou un truc comme ça. Une bulle de nervosité se forma sur la lèvre de Greg : c'était sûrement pour en faire des comme ça qu'il mettait de la salive de côté. Avant, il n'avait jamais vraiment réussi à faire s'envoler une bulle, elles crevaient tout de suite; mais là, un parfait spécimen prit son essor en

106

direction de la tête du professeur et alla s'échouer sur sa nuque où il éclata.

Le professeur n'avait rien remarqué. Il hurlait :

– Jeune homme, voulez-vous retourner immédiatement à votre place!

Il saisit Elliott par le bras, mais ce bras lui parut soudain doué d'une force tout à fait inusitée chez un garçon de cet âge – on eût dit une barre de fer vivante... La production occulte couvrait maintenant tout le tableau et le désordre dans la classe était indescriptible.

– Vous pouvez partir. La classe est terminée. Nous continuerons cela la semaine prochaine. Elliott!

La craie cassa sous les doigts d'Elliott et tomba par terre. Il se tourna vers le professeur, les yeux embrumés. Le savoir accumulé de toute l'équipe de chercheurs d'une société de construction d'ordinateurs semblait lui être tombé dessus tout d'un coup, venu de nulle part.

– Analogue au digital, marmonnait-il, et le prof l'envoya valdinguer dans le couloir, une petite goutte de sang perlant au bout du nez.

Steve remit la casquette à ailerons, qu'il avait tirée de sa poche. Il fit gonfler les ailes et secoua la tête à la vue d'Elliott qu'on traînait dans le bureau du proviseur.

– Il va être de corvée pendant un mois.

– Il craque, en ce moment, dit Tyler.

– Il s'est peut-être laissé avoir avec les pilules pour maigrir de Mary, dit Greg. Elle les utilisait bel et bien pour se doper, non?

– Ecoute, dit Steve, c'est sûrement à cause de toutes ces tartes terreuses qu'il a faites. J'ai une petite sœur, moi aussi. Je sais ce que c'est. (Il lissa ses ailes.) Elles sont parfaitement capables de ruiner toute une existence.

Gertie leva le nez de ses coloriages, se redressa sur sa chaise et se demanda pourquoi, au fait, elle restait là à colorier alors qu'elle avait le monstre pour jouer avec elle. Mais, tout à l'heure, quelque chose l'avait irrésistiblement incitée à quitter le cagibi et à retourner dans sa chambre, au fond du couloir. A présent, elle était sortie de cette espèce de torpeur et, décidément, elle voulait jouer avec le monstre encore un peu.

Elle fila aussitôt dans la chambre d'Elliott; elle n'était pas plus tôt entrée que le rêve de la nuit précédente lui revint dans tous ses détails. Elle était avec le monstre, là-bas, tout loin, et ils avaient descendu une cascade, une chute d'eau, la main dans la main.

Elle ouvrit la porte de la penderie. Le monstre était occupé à jouer avec le Dictographe. Elle regarda ses yeux bizarres, tout grands, et put y voir la cascade du rêve qui s'y reflétait; l'arc-en-ciel y resplendissait de toutes ses couleurs, enjambant l'eau dansante.

Le vénérable navigateur spatial posa le Dictographe à côté de lui. Il s'était « avalé » toute la circuiterie compliquée de l'appareil dans son intégralité, et maintenant il se sentait repu, apaisé; ça avait été son meilleur repas intellectuel depuis son arrivée sur la planète.

Mais il avait complètement oublié les enfants, et ce n'était pas une chose à faire, car ils étaient absolument indispensables à la réussite de son entreprise. Il avait reçu des mains menues de cette petite fille le tout-puissant Dictographe. Qui sait quels autres dons elle gardait en réserve pour lui?

– Viens, monstre, la voie est libre.

Gertie le prit par la main, ses petits doigts paraissaient minuscules au creux de l'immense paume où était gravé le destin de la créature, destin d'un homme-étoile que trois enfants de la terre aideraient à retourner vers les étoiles. Mais la ligne de destinée est une des plus difficiles à interpréter, il le savait, et les plis qui la recoupaient, ascendants ou descendants, étaient innombrables.

Gertie trottinait devant lui; elle traversa la pièce et ils furent bientôt dans le couloir.

– Viens, ça te plaira.

Il était quasiment capable de comprendre l'enfant maintenant, après son après-midi d'immersion intensive dans le spectre d'ondes de la voix synthétique du Dictographe. Oui, il était temps de se roder un peu.

– Forme le mot : mécanicien.

Gertie le regardait :

– M.É.Q.U.A...

– Faux.

– Mais tu sais parler!

Elle l'entraîna dans la chambre de sa mère où l'extra-terrestre reçut de plein fouet l'onde de la créature à la grâce de saule. Adorable en son centre, mais frangée de solitude.

Jeune créature, Mexico n'est qu'un insignifiant *blip, blip* sur l'immense écran des perspectives qui s'offrent à vous – et non loin d'ici un de vos sémillants admirateurs...

Blip,blip.

Il regarda par la fenêtre et il la vit qui rentrait la voiture et allait se garer près du potager. L'âme-sœur, après tout, non? Aimant les légumes autant que lui, et n'était-ce pas là le point de départ fécond d'une... relation plus approfondie, plus intime? Avec sa silhouette d'aubergine, oserait-il un jour se montrer à elle?

Non, cela semblait insensé. Elle n'arriverait pas à comprendre sa présence dans la penderie de son fils. Ce serait beaucoup trop difficile à expliquer, même compte tenu de la maîtrise qu'il avait nouvellement acquise du langage terrien.

– Bien. Maintenant forme le mot : nuisance.

– Maman est dans le jardin, dit Gertie. Elle peut pas nous entendre.

Gertie alla allumer la télé sur la pointe des pieds. Un fringant Muppet apparut, roulant des yeux effarés qui rappelaient absolument ceux de l'extraterrestre.

Il s'approcha de l'écran.

– *Peux-tu compter jusqu'à dix?* dit le Muppet aux yeux en boules de loto.

– Oui, dit Gertie.

– *Un*, dit le Muppet.

– Un, répéta le monstre.

– Deux, deux, deux, chantait Gertie à tue-tête. Vingt, trente, quarante, *cenquante*.

– *Cenquante*, répéta le monstre.

Le Muppet dansait sur ses grands pieds. Gertie avisa les nageoires intergalactiques de la créature de l'espace.

– Toi aussi tu es un Muppet? demanda-t-elle.

– Non.

– *Pomme*, dit le Muppet.

– Pomme, dit Gertie.

Le monstre se faufila derrière la télé pour regarder de plus près ses composants. Son scanner interne explorait l'appareil et repérait le tuner UHF... Voilà, c'était ça qu'il lui fallait pour démultiplier les fréquences des messages de l'épeleur automatique et les convertir en micro-ondes. Voilà, il avait trouvé. Il n'y avait qu'à prendre le tuner. Certes, l'objet appartenait à la femme-saule et il percevait bien qu'elle y était attachée, surtout à cause d'un certain programme comportant un homme en train de rouler des mécaniques et de faire l'important comme un maniaque, une grimace affectée sur sa physionomie débile.

Tans pis, il faut que j'emprunte cet objet, provisoirement, se dit-il.

Gertie continuait à glousser joyeusement et, avant que le génial savant ait pu prendre le tuner UHF, elle lui enfonça un chapeau de cow-boy jusqu'aux yeux, pour faire pendant au sombrero de cow-girl qu'elle arborait.

– Maintenant, on est tous les deux des cow-boys.

– *B*, dit le Muppet.

– B, dit le monstre.

– *Je vois à ton allure que tu es un cow-boy*, chanta Gertie – faux.

– B. Bien, dit le monstre.

La folle gaieté de la petite fille et ses glapissements allaient à coup sûr alerter la mère. Le vieux monstre alla à la fenêtre. Le jardin était vide.

Il repoussa le chapeau en arrière et pointa un doigt en direction du couloir.

– Maison.

– Dis-le encore.

– Maison.

Gertie gloussa.

La voix de la femme-saule se fit entendre dans la cage d'escalier.

– Gertie, tu veux voir la plus grosse citrouille que tu aies jamais vue de ta vie?

– Mais, maman, je suis en train de jouer avec le... avec...

– B. Bien, B. Bien, dit le monstre.

Il prit la poupée et lui tordit le bras. Il savait que c'était comme d'appuyer sur un bouton, pour la faire taire.

Immédiatement, elle se tint tranquille.

Il la reconduisit calmement dans le couloir; là il fit halte pour jeter un coup d'œil dans la cage d'escalier. La mère était installée près de la table de l'entrée et elle regardait son courrier.

La subtile auréole de lumière couleur d'arc-en-ciel qui l'escortait brillait de mille feux, et il s'attarda un moment à regarder jouer les interférences lumineuses dans les franges.

– Viens, le monstre, chuchota Gertie.

Elle le traîna littéralement sur tout le trajet jusqu'à la chambre-poubelle d'Elliott. La penderie était ouverte et Gertie l'y poussa précipitamment. Elle venait d'entendre la voix de son frère, en bas :

– Salut, je suis rentré.

Gertie s'enferma vite dans le cagibi avec le monstre. Elle ramassa son Dictographe et pressa la touche B. La lettre qui s'affichait sur l'écran était totalement inconnue sur terre. La voix qui parlait dans la boîte ne prononçait plus le bon vieux B. Elle disait *blip*.

Ou quelque chose comme ça, en tout cas quelque chose de très bizarre et le vieux mage informaticien

souriait de son grand sourire de tortue carnassière.

– Je me demande bien ce qui ne va pas dans mon
Dictographe, dit Gertie.

– Rien, dit la créature chenue.

La distorsion opérée sur le système de signalisa-
tion était satisfaisante : il avait rompu les anciens
chaînages dans les puces à mémoire qu'il avait
reprogrammées avec un nouveau vocabulaire.

Gertie apprendrait bientôt à former les mots et à
les épeler dans le langage des étoiles.

La porte de la penderie s'ouvrit et Elliott entra.

– Elliott, dit le monstre enfoui dans ses coussins.

La bouche d'Elliott s'ouvrit toute grande.

– Je lui ai appris à parler, dit Gertie.

– Mais tu m'as parlé! s'exclama Elliott. Parle encore!

– Elliott...

– Et « E.T. »? Tu peux le dire aussi? Tu es E.T.,
dis-le.

– E.T., dit l'extra-terrestre.

Mais on frappait à la porte de la chambre : trois
coups.

– C'est Michael, dit Elliott.

Il ouvrit. Ils rejoignirent tous Michael dans la
chambre. Le monstre avisa Michael :

– Epelle le mot : mécanicien.

– M.É.C.A... Quoi?

Elliott sourit :

– On lui a appris à parler.

– C'est *moi* qui lui ai appris, dit Gertie.

Michael fit un pas vers le monstre :

– Qu'est-ce que tu peux dire d'autre?

– Epelle le mot : nuisance.

– C'est tout ce qu'il sait faire? Vous dire d'épeler des trucs?

Le vieil errant haussa modestement les épaules. Il n'était pas encore capable de comprendre parfaitement les enfants, mais il savait qu'il pouvait leur signifier l'essentiel. Il faudrait qu'ils se chargent eux-mêmes d'aller voler le tuner UHF à leur mère, et qu'ils continuent à lui fournir les précieux biscuits.

La sonnerie du téléphone interrompit le concilia- bule. La voix de Mary retentit dans les escaliers :

– Elliott, c'est pour toi!

Elliott alla prendre le second poste téléphonique dans le couloir et tira le long fil jusque dans la chambre.

– *Salut, Elliott.* (Le timbre suraigu et nasillard saturait le récepteur. Elliott percevait dans la voix de Lance une tonalité dangereusement inquisitrice. Lance ne l'appelait jamais, sauf pour colporter des ragots et se vanter de ses scores aux Astéroïdes. Et là, tout d'un coup, il se mettait à parler de Saturne, du mont Olympus sur Mars et d'un tas de choses étranges à propos du cosmos.) *Oui, Elliott, l'espace, l'espace, l'espace, j'y pense tout le temps, ça ne me quitte pas, il me semble que je l'ai dans le cerveau. C'est étrange, tu ne trouves pas? T'as pas l'impression qu'il se passe quelque chose de bizarre? Moi oui...*

– Eh, excuse-moi, il faut que je m'en aille...

Elliott raccrocha et s'essuya le front. Lance avait tout deviné, il en était sûr.

Et le vieux navigateur qui avait suivi la conversa- tion au téléphone en était sûr aussi. La voix vibrait encore à l'intérieur de sa tête; les fréquences sono- res étaient bien celles d'un enfant trop curieux, ce genre d'enfant parfaitement capable de former le mot « emmerdements »... et de vous y vouer définitivement.

Il n'y avait plus de temps à perdre. Il montra le téléphone, puis la fenêtre.

– Hein? Qu'est-ce que tu dis, E.T.?

A nouveau, il désigna le téléphone et la fenêtre, puis le ciel immense :

– Téléphoner maison.

– Tu veux... appeler chez toi?

Il acquiesça :

– E.T., téléphoner maison.

8

– Non, Elliott, dire que ton professeur n'est qu'une pédale, ça n'est pas une réponse.

– Je ne sais pas pourquoi il s'est mis dans cet état-là. Je voulais rigoler un peu, c'est tout.

– Qu'est-ce qui t'arrive depuis quelque temps?

– Rien, maman, je t'assure, je vais bien. Simplement je traverse une crise.

– Ne parle pas comme un psychiatre, je t'en prie...

Mary prit un biscuit diététique et croqua dans l'insipide carré. C'était l'heure du repas, l'heure de folie, et si elle avait osé, elle aurait dévoré un pain entier avec plein de beurre et de la confiture de framboises – pour colmater ses angoisses sans nom et surtout celles qui en portaient un : Elliott, par exemple.

– Tu as déjà vu des monstres, maman? demanda Gertie.

– Oui, très souvent.

Et même, pensa Mary, j'en ai épousé un.

– J'ai un ami-monstre, dit Gertie.

Ce sur quoi Elliott ramassa sa poupée et lui tordit le cou.

– Elliott, je te prie, dit Mary. Ne sois pas sadique.

Gertie renifla et se mit à consoler la poupée. Elliott lui lança un regard furibond. Mary prit un morceau de pain, le beurra abondamment, le barbouilla de plusieurs couches de confiture. Avec ça dans l'estomac, elle ne tarda pas à se sentir toute ballonnée et il lui fallut immédiatement une seconde tartine du même style pour se réconforter.

– M'man, dit Michael, tu recommences à t'empiffrer.

– Laisse-moi, dit Mary doucement, continuant sur sa lancée.

Mais Michael enleva le pain, Gertie prit la confiture et Elliott alla cacher le beurre.

– Merci, dit-elle.

– La-Mère-Qui-Dévorait-Le-Monde-Entier, dit Michael.

– Oui, c'est vrai, c'est vrai, dit Mary, et elle se plongea aveuglément dans sa vaisselle, rompant le sortilège confiture-pain. Enlevez-moi cette cochonnerie de là. Allez mettre tout ça autre part, très loin.

Ils obéirent. Ils cachèrent les choses derrière leur dos et les montèrent dans la chambre, pour E.T.

Le Dictographe était exposé tripes à l'air, certains fils conducteurs portaient des traces très nettes de confiture de framboises. En lieu et place des habituels « mécanicien », « nuisance » et autres mots bien connus de la planète, la machine proférait maintenant *Dop-doople*, *skiggle* et *zlock*, ou des trucs de ce genre, et plein d'autres vocables du même style, complètement impénétrables aux oreilles humaines.

Les garçons étaient assis à côté d'E.T. Il leur faisait la démonstration, appuyant sur les touches...

– C'est ta langue maternelle, E.T.?

– E.T. téléphone chez lui. (Il désignait la lucarne du cagibi.)

– Et ils vont venir te chercher?

Il fit un signe affirmatif.

Ce n'était que le premier rudiment de son émetteur, le synthétiseur de signaux. Ensuite, il faudrait l'installer sous les étoiles pour qu'il émette en permanence, sans arrêt, nuit et jour, même si personne n'était là pour appuyer sur les touches. C'est pourquoi il fallait trouver une force motrice, quelque chose qui puisse provoquer cette répétition à l'infini.

Il les entraîna près du tourne-disque, dans la chambre. Avec des gestes de mains, des demi-phrases, des borborygmes, il essayait d'exprimer son souhait.

Il montra le plateau du tourne-disque et fit mine d'y placer son propre disque à lui. Ils le fixaient stupidement, sans comprendre. Frustré, il marcha de long en large, puis, tournant sur lui-même, ouvrit la bouche et essaya de chanter :

– *Ce n'est que du rock and roll...* Sa voix, mélodieuse certes pour certaines sphères de l'Univers, ne semblait tirer des enfants que gloussements et

117

hennissements amicaux. Il leur lança un regard furibond.

– E.T. veut faire une chanson.

Ils le regardaient, interloqués.

– Chanson, chanson, E.T. fait une chanson.

Il prit un disque et l'agita à la ronde.

– Tu veux faire ton propre disque?

– Oui, oui.

– Avec quoi?

– Avec... avec...

Il ne savait pas. Tout ce qu'il pouvait dire, c'est que c'était avec quelque chose de rond, et il traça en l'air la forme d'un rond.

– Tu veux quelque chose de rond?

– Oui.

– Et tu vas mettre une chanson dessus?

Michael s'avança vers lui.

– Mais c'est pas un studio d'enregistrement, ici. Ça coûte une fortune de faire un disque.

E.T. désigna sa tête :

– Forme le mot : mécanicien.

– M.É.C.A... Attends une seconde. Qu'est-ce que tu veux dire? Elliott, qu'est-ce qu'il veut dire?

Elliott regarda le monstre :

– Tu veux dire que toi tu es mécanicien?

– Oui, oui. Forme le mot : mécanicien.

Il retourna le tourne-disque, tête-bêche, et tira une poignée de fils.

– Ah ben, d'accord! Le tourne-disque, on peut lui dire adieu...

E.T. souleva un fil conducteur :

– Encore!

– Tu veux encore du fil?

Il hocha la tête, en signe d'acquiescement.

– Il veut du fil électrique.

118

Ils se regardaient et se demandaient bien comment ils allaient pouvoir combler les vœux de leur invité, lequel arpentait maintenant la pièce en tous sens, complètement absorbé, à la recherche de la solution la plus sophistiquée.

Il avait besoin de tant de choses pour faire son disque de *rock and roll*. Ses turbulences mentales affichaient sur son écran de visualisation interne les diagrammes successifs de son futur émetteur; à chaque diagramme, une nouvelle pièce détachée s'ajoutait pour compléter le mécanisme. Et maintenant, il fallait... un... manteau.

Il alla dans la penderie, décrocha un manteau et l'enfila.

Très bonne coupe, qui l'avantageait énormément, compte tenu de sa carrure de poulet. Bien sûr le boutonnage était un peu serré sur sa bedaine en forme de boulet de canon. Néanmoins...

Il se tournait dans son manteau, se demandant tout de même ce que – au nom des mers cosmiques! – le port d'un manteau pouvait bien avoir à faire avec la fabrication d'un phare-émetteur.

Mais non, vieux piège à mouches! Pas le manteau! Le *porte*-manteau.

Son regard devint fixe, ses yeux clignotaient, son cerveau tournait à mille tours minute. Le porte-manteau, plus lumineux tout d'un coup, se balançait comme pour l'hypnotiser. Il faudrait le coupler au tourne-disque... et épelle : bras de pick-up!

Il attrapa le porte-manteau, pointa le bout de son index sur le goujon d'assemblage et y brûla des trous, un pour chaque fil du Dictographe.

– Dis donc, E.T., ton doigt, c'est une vraie lampe à souder!

Toujours vêtu du manteau, il alla prendre le

Dictographe dans le placard. Du bout du doigt, il souda tranquillement les contacts sur le cadran pour les fils dont il disposait déjà.

– Encore... encore...

Les garçons le regardaient. Il agitait le porte-manteau au seuil du cagibi :

– Encore... encore...

Ils lui apportèrent du fil électrique, un moule à tarte et un enjoliveur de roue. Il garda le fil, et rejeta le reste qui ne faisait pas du tout l'affaire.

Pour confectionner son disque de *rock and roll*, il lui fallait une chose ronde, plate et dure. Est-ce qu'ils allaient comprendre, à la fin ?

Il prit à témoin le géranium.

– Ce sont des enfants de la terre, lui dit le végétal. Ils sont charmants mais un peu lents.

– O.K.! On va te trouver autre chose, E.T.

– O.K.! Ouais, il y a plein d'articles de quincaillerie, là-bas...

Il les regarda partir. Il ne fallait pas qu'il s'impatiente avec eux. Il lui fallait être un vrai mé-ca-ni-cien et souder chaque fil à sa place sur le Dictographe puis prolonger ces fils jusqu'à la cheville d'assemblage du porte-manteau et les faire arriver dans les trous. Dans ces trous devaient s'adapter des manettes de contact, de petits leviers métalliques à ressort.

Des petits leviers métalliques de ce genre, il était sûr d'en avoir vu quelque part dans cette maison. Mais où ?

De radieuses ondulations émanant de la créature à l'allure de saule, mère de l'équipage, lui parvinrent. Il ferma les yeux et se concentra sur l'image

120

mentale qui lui arrivait de la jeune femme. L'image semblait léviter devant lui.

Oui! Les petits leviers métalliques, c'est elle qui les avait dans les cheveux. Comment les appelait-elle, déjà?

Il pénétra dans la mémoire de la jeune femme, chercha, trouva.

– Gertie!

Sa complice en second accourut. Il pointa son doigt vers elle.

– Epelle : pince à cheveux.

– P.I.N.S.E.

– Faux.

Puis il pointa le doigt vers son crâne, chauve comme un caillou.

– Pourquoi? Tu... veux... des pinces à cheveux?

Il fit un signe de tête affirmatif.

Ils s'engagèrent furtivement dans le couloir et entrèrent dans la chambre de Mary. Il jeta un coup d'œil par la fenêtre. La créature à l'allure de saule était toujours dans le jardin, où elle se débattait avec les légumes les plus énormes qui eussent jamais poussé sur le territoire de l'Etat. Une aura de profonde perplexité se dégageait de toute sa personne, tandis qu'elle tentait de soulever une citrouille géante, si grosse qu'elle semblait avoir été gavée de lait avec une paille.

Les plantes en pot, sur l'appui de fenêtre, resplendissaient elles aussi d'une floraison absolument inaccoutumée en cette période de l'année. Elles s'inclinèrent vers lui.

– Salut, Vénérable Maître... Que cherches-tu? Quelle haute et prodigieuse mission scientifique t'accapare en cet instant?

– Trouver des pinces à cheveux.

– Elles sont là, dit Gertie, ouvrant un poussin de porcelaine blanche.

L'extra-terrestre prit les pinces à cheveux et aperçut son reflet dans l'armoire à glace de Mary. Avec une jaquette et un pantalon... mais la gracieuse créature pourrait-elle surmonter le choc?

Bien sûr, les pantalons, il faudrait les raccourcir, et mettre des sacs en papier, pour les pieds. Mais alors...

– Viens, E.T., dit Gertie, le tirant par le bras.

Elle l'entraîna hors de la pièce, le long du couloir, puis dans la chambre d'Elliott, où il réintégra son placard.

– Qu'est-ce que tu vas faire avec les pinces à cheveux de maman?

Il s'assit sur les coussins et fixa les pinces à cheveux au goujon du porte-manteau. Voilà! Une rangée de contacts métalliques pour balayer la surface du disque. Il connecta les pinces aux fils conducteurs qui sortaient du Dictographe.

– Ça a l'air rigolo, ce truc-là, dit Gertie. Tu fais toujours des trucs rigolos comme ça?

– Oui.

– Pour quoi c'est faire?

– E.T. téléphoner maison.

– Où elle est, ta maison?

Il montra le ciel. Gertie regardait fixement la petite lucarne.

– C'est là qu'on va en rêve? C'est là l'endroit qui est tout loin?

– Loin.

– Est-ce qu'ils vont t'entendre, chez toi?

C'est absolument sidérant, le nombre de questions que peuvent poser les enfants de la Terre.

– Ils vont décrocher le téléphone et dire « Salut, E.T. » ?

– Forme le mot : nuisance.

– N.U.S...

– Mauvais.

– Bon, mais je peux pas le dire comme il faut, parce que tu as pris mon Dictographe et maintenant, le beau résultat, il arrête pas de dire *gleeple*, *deeple* !

– *Gleeple doople*.

– En tout cas, ça dit plus : nuisance...

Gertie tourna le dos au monstre et se mit à jouer avec le fourneau qu'elle avait apporté avec elle. Elle s'appliqua à la confection d'une nouvelle sorte de brioches à base de crème de jour de maman, mélangée avec de la boue. De son côté, le vieux technicien de l'informatique continuait à s'échiner sur son appareil tout en fredonnant quelque chose qui rappelait vaguement les *lyrics* de *Top Forty* qu'il avait dû entendre à la radio. Gertie et lui étaient si absorbés par leurs travaux respectifs qu'ils n'entendirent pas Mary monter les escaliers. Ils ne l'entendirent pas davantage passer dans le couloir. Ils ne l'entendirent que lorsqu'elle ouvrit la porte de la chambre d'Elliott.

Le vieux monstre sursauta et s'aligna immédiatement à l'entrée du placard, aux côtés des animaux empaillés, des Muppets aux yeux en boules de loto et des robots de l'espace en miniature. Il s'immobilisa au garde-à-vous, et ses grands yeux interplanétaires, plus perfectionnés que les plus sophistiqués des instruments d'optique de la planète, prirent une expression aussi obtuse que ceux de Kermit la Grenouille. Même quand on les regardait, ils restaient vitreux et fixes. Sa silhouette pataude paraissait tout aussi dépourvue de vie que le robot qui était à sa droite.

Mary entra. Son regard voltigea sur les tas de jouets en désordre par terre, rencontra le regard glauque de l'extra-terrestre, puis se posa sur le géranium.

– C'est toi qui as porté ça ici, Gertie?

– L'homme de la lune aime les fleurs. Il les fait pousser.

Mary effleura du bout des doigts la floraison luxuriante et hocha la tête, admirative.

– Tout pousse follement bien, ici. Je n'y comprends vraiment rien.

– Prends une brioche, maman.

– Mmm... ça a l'air rudement bon, dit Mary.

Beaucoup trop bon, en fait, pour des brioches de glaise. L'arôme lui parut vaguement familier.

– Mon Dieu, Gertie! ce n'est pas ma crème de jour que tu as mise là-dedans?

– C'est ta crème à la banane.

Mary regardait fixement les vestiges de la formule secrète pour un Nouveau Moi.

– Gertie, je ne veux pas me mettre en colère, chérie. Tu ne pouvais pas savoir. Mais maman paye cette crème vingt-cinq dollars le pot, et maintenant il va falloir que je me mette ça sur la figure avec toute cette boue, ce sable et ces cailloux.

– Je l'ai pas fait exprès, maman.

– Je sais, chérie. Un jour, j'en rirai probablement. Mais aujourd'hui, je ne peux pas.

A nouveau son regard effleura l'extra-terrestre figé à l'alignement, mais elle était si éperdue d'affolement à l'idée de la crème de beauté définitivement gâchée qu'elle ne tiqua même pas. Elle tourna les talons... et il poussa un soupir de soulagement,

124

quelque peu teinté de mélancolie. Si pour elle il ne représentait rien de plus que Kermit la Grenouille, comment pourrait-elle l'aimer un jour ? Il la suivit des yeux tandis qu'elle quittait la pièce. Il avait le cœur très lourd... Il s'extirpa tant bien que mal des fils d'une marionnette dans lesquels il était resté coincé. Pour Mary, il n'était qu'un monstre parmi d'autres monstres en peluche.

O être infortuné! Forme donc le mot de solitude! Epelle aussi celui de déréliction!

Il reprit son poste de travail et souda encore quelques fils du bout de son doigt.

Ironie du sort! La créature-saule, la belle Mary, dépérissait à la pensée de son mari envolé, tandis qu'à quelques pas de là, un des esprits les plus distingués du cosmos avait élu domicile dans la penderie. Il inspecta son ventre de citrouille et, pour la première fois de toute sa longue vie, il lui sembla grotesque. Même s'il arrêtait de manger des biscuits Oreo, son ventre serait toujours là, il ne s'en irait jamais. Il faisait partie de lui, *c'était* lui.

– Pourquoi es-tu si triste, E.T.? demanda Gertie.

Elle plongea son regard dans ses yeux et vit que la cascade dansante avait fait place à un désert aride au sol craquelé d'immenses crevasses de sécheresse : l'endroit le plus désolé qu'elle eût jamais vu.

Il cilla et l'image du désert disparut. Il ramassa le Dictographe et se remit à pianoter sur le cadran.

...gleeple doople zwak-zwak snafn olg mnnnnip...

Ces accents apaisants, émanés d'une sublime intelligence, lui apportaient leur réconfort. Ça, c'était une langue au moins. Vous pouviez vous faire parler le cœur avec ça. Il décida d'émettre de nouveau, dans la nuit, dès que les garçons seraient rentrés de leur tournée de chapardage au rayon quincaillerie.

Quand il quitterait la Terre, il aurait au moins eu la satisfaction d'avoir initié ces jeunes indigènes aux plus hautes arcanes. S'il quittait la Terre...

A la vue de son poste-émetteur bricolé à la maison, fabriqué avec des pinces à cheveux et un porte-manteau, le doute l'envahit. Mais son train d'ondes cérébrales le rassura : il était sur la bonne voie. Il n'avait qu'à continuer à suivre les directives et rester confiant en l'avenir.

Et s'ils n'avaient pas pu voler la lame de scie circulaire ?

Il y eut une cavalcade dans les escaliers, et Elliott et Michael firent irruption dans la chambre. Ils ouvrirent leurs vestes et en sortirent la précieuse scie circulaire, une poignée d'écrous et quantité de connecteurs en tout genre.

— Voilà, ça y est, E.T., c'est ça que tu voulais ?

— Epelez : *Rock and roll.*

Ses doigts fébriles effleuraient la surface de la lame. Il la plaça sur la platine du tourne-disque qu'il actionna avec son doigt. La lame dentée tournoya, éclairée par le rayon du soleil qui pénétrait par la petite fenêtre.

— Mais comment tu vas pouvoir faire un disque avec une lame circulaire ?

— Epelez le mot : peindre.

Il indiqua que la surface serait enduite d'un revêtement.

— D'une espèce spéciale ?

Il montra le ciel.

— Bleue ?

Il acquiesça.

– Maman est venue, dit Gertie. Elle n'a même pas remarqué E.T.

– Ouais? le camouflage a bien marché, alors?

Elliott montrait la rangée de stupides créatures bourrées de son.

– Allez, ouste! sortez de là, dit E.T.

C'était plus d'humiliations que ne pouvait supporter en une seule journée un botaniste aussi distingué.

Mary se regarda dans le miroir de sa coiffeuse et tendit la main pour prendre une pince à cheveux dans le poussin de porcelaine.

Ses doigts tournèrent à vide à l'intérieur du volatile.

Mais où donc...? Elle le savait! C'était Gertie, bien sûr. L'enfant se servait déjà de produits de maquillage. Elle avait eu besoin aussi de barrettes.

– Gertie!

L'enfant entra en courant.

– Oui, maman.

– Rends-moi mes pinces à cheveux.

– Je peux pas, c'est le monstre qui s'en sert.

– Ah bon, et il s'en sert pour quoi faire?

– Pour faire sa machine.

– Sa machine.

Mary marqua un temps de réflexion. Est-ce que ça valait vraiment la peine de s'échiner à remonter le fil sans commencement ni fin des inventions de l'enfant, pour récupérer de malheureuses pinces à cheveux? Non, ça ne valait pas le coup. C'était clair. Mieux valait laisser ses cheveux pendre dans la figure, dans le style distingué « bord de la dépression nerveuse ».

– Merci, Gertie, ça sera tout pour l'instant.

– Je dirai au monstre que tu lui donnes le bonjour.

– Oui, c'est ça, transmets-lui toutes mes amitiés.

Le monstre était assis dans son placard et travaillait dur. La lame de scie circulaire avait été peinte et mise à sécher, et maintenant il brûlait des trous selon une disposition qui paraissait codifiée, dans la surface peinte.

– Eh! dit Elliott, ça y est, j'ai pigé, ça va être comme une boîte à musique!

Michael lorgna par-dessus l'épaule d'Elliott tandis qu'apparaissait la figure formée par les trous. « C'est un piano mécanique », dit-il tandis que le doigt-lampe-à-souder d'E.T. poursuivait son travail et perçait dans la lame un arrangement de trous pour carte perforée. E.T. posa la lame programmée sur le plateau du tourne-disque, donna l'impulsion avec son doigt et abaissa le bras de pick-up-portemanteau : la rangée de pinces à cheveux accompagnait le mouvement de la lame circulaire, entrant et sortant en cliquetant des perforations du programme.

– Wouaouh! E.T.!... Génial!

Tandis que la lame circulaire tournait sur le plateau et que les pinces à cheveux ratissaient la piste, les fils conducteurs activaient le cadran du Dictographe et le langage des étoiles se fit entendre encore, et encore...

...*gleeple doople zwak zwak snafn olg mmnnnnip*...

– Ouais! Dément!

– Tu y es arrivé, E.T.! Tu as fait ton disque!

Gertie entra, portant son talkie-walkie acquis de

fraîche date. Elle parlait à distance à ses poupées, dans sa chambre.

– Poupées, ici Gertie...

Le long bras d'E.T. se tendit et il prit le talkie-walkie. En deux secondes, il avait démantelé le micro qu'il connecta au synthétiseur de voix du Dictographe.

– E.T., tu fous en l'air tous mes jouets, à la fin! glapit-elle.

Ses hurlement retentirent dans toute la maison. Tout en tordant les bras de sa poupée dans des postures hideuses, ses frères se mirent à lui expliquer patiemment qu'elle devait apprendre à être plus généreuse.

– Bon, d'accord, renifla-t-elle, mais il ferait mieux de ne plus rien casser d'autre.

Le vieux savant la rassura, il ne toucherait plus à aucun de ses jouets. Maintenant il n'avait plus besoin que du câble coaxial de la télé et le temps était également venu pour le tuner UHF.

Ils se glissèrent à nouveau dans le couloir, à pas de loup.

Plus tard, dans la soirée, Mary entra dans sa chambre, alluma la télévision, envoya dinguer ses chaussures et se mit au lit. Là, elle ouvrit avec lassitude un journal et commença à lire. Elle finit par remarquer que la télé ne s'était pas mise en marche.

– Michael!

La maison était silencieuse.

– Elliott!

Elle réfléchit. Son intuition maternelle l'avertissait clairement que ses deux garçons étaient plus ou moins responsables. Mais l'intuition s'affirma et l'image de Gertie affleura bientôt son esprit.

– Gertie? (Elle interrogeait la nuit, à voix basse.) Est-ce que Gertie avait fait quelque chose?

Elle ferma les yeux et une ride de perplexité barra son front car elle venait de recevoir l'image mentale de Gertie entrant dans sa chambre sur la pointe des pieds, accompagnée d'un grand Muppet.

J'ai dû trop travailler aujourd'hui, se dit Mary et elle s'étendit complètement dans le lit, le journal sur la figure.

Après un léger somme angoissé, elle se réveilla affamée.

N'était-il pas temps d'aller dévorer un pain entier avec de la confiture de fraise? L'heure de la Dépravation n'avait-elle pas sonné à nouveau?

Elle glissa sans bruit hors du lit et s'engagea dans le couloir sur la pointe des pieds. Il ne fallait pas que les enfants la voient. Il ne fallait pas leur donner l'exemple d'une mère assaillie par des visions de confiture et qui ne pouvait contrôler son appétit.

Elle fit une halte dans le couloir et entendit Elliott et Michael dans la salle de jeux. Bon, comme ça ils ne pourraient pas la voir se rouler dans l'ignominie, et surtout ils n'essayeraient pas de l'en empêcher.

Ah! Garçons pleins de sollicitude, qui se refusent à l'idée que je sois obligée de passer de guingois les portes de l'existence. Mais c'est plus fort que moi. Je crève de faim.

Faim de gâteaux à la confiture. Faim de crème renversée et de riz au lait. Qu'est-ce que je dirais d'un banana-split?

130

Elle descendit les escaliers furtivement et s'arrêta dans l'entrée pour s'assurer que la voie était libre.

Le living-room était vide. Le coin repas était éteint.

Mary s'achemina sans faire de bruit vers la cuisine. Tournant le coin, elle vit de la lumière, et l'instant d'après, elle découvrait Gertie, assise à la table devant des petits gâteaux et du lait. Elle n'avait pas vu qu'E.T. était assis sur un tabouret près du Frigidaire. Le pauvre gobelin cosmique était là, recroquevillé, incapable de se cacher et s'attendant au pire.

Mais Mary n'était occupée que de Gertie. Elle montrait les deux assiettes sur la table.

– Pour qui est cette assiette? demanda-t-elle, regardant avec avidité les petits gâteaux que Gertie avait sortis. Pour ta poupée?

– Pour le spationaute, dit Gertie, il aime ça, les petits gâteaux.

– Ça le dérangerait que j'en prenne un?

– Oh! non! dit Gertie, il t'aime.

– Comme il est gentil, ce spationaute, dit Mary, et elle attrapa vivement un gâteau.

Oh! Dieu, du sucre!

Le monstrueux délice se brisa sur ses papilles gustatives, et elle sut qu'elle était perdue.

– Il me faut absolument de la confiture.

Elle se tourna vers le Frigidaire et l'ouvrit brusquement. La porte largement balancée vint heurter E.T. et le jeta à bas de son tabouret, dans la boîte à ordures. Il tomba au fond, avec les pieds qui dépassaient. Mais Mary ne le voyait toujours pas.

– Compote de pommes, marmelade, et pourquoi pas ces chaussons congelés aux airelles? Je serais capable d'en manger quatre d'un coup, des comme ça...

– Maman, dit Gertie, tu as encore une crise?

– Oui, chérie... quelle bêtise... un éclair!

Soudain, des bras puissants la saisirent par derrière, à bras-le-corps.

– Contrôle-toi, maman.

– Elliott... Michael, laissez-moi tranquille.

– M'man, je t'en prie. (Michael la détournait du spectacle qui s'offrait à elle.) Tu nous as dit de ne jamais te laisser faire ça.

– Oubliez tout ce que je vous ai dit.

Elle se débattit, essayant d'attraper à toute force les biscuits sur l'assiette de Gertie.

– Allez, maman, dit Elliott en venant se planter devant E.T. dont les pieds dépassaient toujours de la boîte à ordures. On va jouer avec toi au Monopoly.

Mary regarda Elliott et remarqua à quel point il avait l'air angoissé et nerveux; il sautillait devant elle d'avant en arrière pour essayer de la distraire du Frigidaire.

– Tu es un bon petit, Elliott.

– Tu nous as dit de te rappeler, dit Elliott, que si tu continuais à manger des gâteaux comme ça, tu serais comme une saucisse empaillée dans ton peignoir de bain.

Les deux garçons l'entraînèrent loin du monstre, ils la firent sortir de la cuisine et la reconduisirent dans l'entrée : « Mary avançant entre ses deux fils. »

– Vous êtes de gentils garçons, stricts, mais gentils.

Ils réussirent à lui faire remonter les escaliers.

– Ne regarde pas derrière toi, maman. Tu sais ce qui va se passer, sinon.

– Le Rayon des Femmes Fortes, dit Mary avec une humilité stoïque, et elle continua à monter.

Le jour suivant, il pleuvait. Mary alla prendre son parapluie dans le porte-parapluies. Il n'était pas là; elle le chercha partout et ne put le trouver nulle part, pour la bonne raison qu'il était en haut, dans la penderie, transformé en réflecteur parabolique.

– Ouah! dit Elliott, ça c'est fortiche.

Le parapluie avait été doublé d'une feuille de papier métallique réfléchissante. Une boîte à café était attachée à sa poignée ainsi que le tuner UHF connecté au micro du talkie-walkie par son câble coaxial; le micro était lui-même relié au Dictographe, et les *gleeple doople zwak-zwak* pouvaient désormais être convertis en fréquences micro-ondes. Le vénérable opérateur-radio était en train d'expliquer aux enfants que maintenant il lui fallait un objet dont il connaissait l'existence pour l'avoir repéré sous le tableau de bord de la voiture de Mary.

– Le Détecteur de Flics? Tu veux le Détecteur de Flics de maman? demanda Michael.

Il secoua la tête et Elliott fit chorus.

– C'est la seule chose que maman ait gardée de papa. Elle y tient beaucoup.

Le distingué navigateur traça plusieurs diagrammes pour démontrer aux garçons comment le Détecteur de Flics pourrait, une fois monté sur la boîte à café, lui permettre d'émettre ses micro-fréquences au-dehors.

Ce soir-là, quand Mary rentra du bureau, elle ne pouvait pas savoir que son système d'alerte ne fonctionnait pas. Elle ne s'aperçut donc pas que le radar de la police était en service et écopa d'une amende de vingt-cinq dollars pour excès de vitesse.

Mais la machine à communiquer était presque prête.

– Ouais, dit Michael, mais qu'est-ce qui va la faire marcher? Qu'est-ce qui va faire tourner tout ça? (Il fit pivoter la lame sur la platine.) Si on le transporte dans les collines, il n'y aura pas d'électricité là-haut...

L'astronaute venait de finir son dîner. Braquant le bout de son doigt, en guise de lampe à souder, sur le couteau à beurre, il en ôta la lame, puis la courba et la fixa au porte-manteau, à côté de la fourchette, de façon à former un rochet d'encliquetage : couteau et fourchette accrochaient et libéraient successivement tous les crans de la lame, la faisant tourner dent après dent.

– Ouais, dit Michael, mais on ne va pas rester dehors toute la nuit à imprimer des secousses à ce machin-là...

L'extra-terrestre continuait à sourire. Maintenant il comprenait tout; il saisissait, après coup, le sens des intuitions qu'il avait eues très tôt, avec ces images obsédantes de la petite fourchette dansant autour d'une assiette. C'était de ça qu'il s'agissait, de cet appareil, et il venait de le fabriquer, et il le ferait fonctionner là-haut dans les collines et on verrait bien qu'il n'aurait besoin d'aucune main humaine pour le mouvoir.

– *Bon, qui est-ce?*
– *Mon nouveau personnage.*
– *De quelle catégorie est-il?*

– *Magicien, premier niveau. Voici sa carte.*
– *Lis-la-nous.*
– *Prudence : 20, Charisme : 20, Intelligence : 18, Force : 14.*
– *Nom ?*
– *E.T.*

Les voix des joueurs de Donjons & Dragons montaient de la cuisine, mais E.T. avait envie d'écouter des choses bien autrement intéressantes, des choses qui se reproduisaient presque tous les soirs et, pour les entendre, il n'avait qu'à coller son oreille à la porte de Gertie. Il s'accroupit, pencha la tête en avant, et se remit à l'écoute attentive du récit de l'Histoire de la Terre.

La voix de Mary s'élevait, très douce :

« *Peter lui dit :* « *Les Peaux-Rouges ont été vaincus ? Les pirates ont capturé Wendy et les enfants ? Je volerai à son secours, je volerai à son secours... La fée Clochette fait tinter un cri d'alarme. Mais non, n'aie pas peur, c'est mon médicament... Empoisonné ? Mais qui pourrait l'avoir empoisonné ? J'ai promis à Wendy de prendre mon médicament et je le prendrai, dès que j'aurai aiguisé ma dague... Peter tend la main, mais avant qu'il ait pu atteindre le médicament, la fée Clochette avale noblement le breuvage...* »

– Oh non ! dit Gertie.

– Oh non ! chuchota l'extra-terrestre en aparté.

« *Mais Clochette, pourquoi as-tu bu mon médicament ? (Elle se met à voleter bizarrement dans toute la pièce et elle lui répond maintenant dans un tintement très affaibli.) Le médicament était empoisonné, et tu l'as bu pour me sauver la vie. Clochette ! Chère Clochette, est-ce que tu vas mourir ? La petite lumière de la fée pâlit. Si elle s'éteint complètement, ça voudra* dire qu'elle est morte. Sa voix est si faible que j'entends à peine ce qu'elle dit... »

Le vieux navigateur baissa la tête. C'était absolument épouvantable.

« *Elle dit qu'elle est sûre qu'elle pourrait guérir si les enfants croyaient aux fées. Tu crois aux fées? Vite! Dis que tu y crois.* »

– J'y crois, dit Gertie.

– J'y crois, dit l'explorateur chenu, les larmes aux yeux.

Ce sur quoi Elliott arriva en trombe en haut des escaliers à la recherche d'un Tricostéril, car il venait de se couper le doigt avec le couteau à fromage. Le séculaire docteur ès plantes se tourna vers lui et pointa sur la blessure un doigt effilé. Une lueur rose vif éclairait le bout du doigt, comme venue de l'intérieur. Elliott recula, effrayé; il savait qu'E.T. pouvait percer des trous dans l'acier avec le bout de son doigt. Mais non : le doigt continuait seulement à répandre cette douce lueur rose, tandis qu'E.T. effleurait le tracé de la coupure. Le saignement s'arrêta et la blessure cicatrisa instantanément. La peau était redevenue aussi lisse qu'avant.

Elliott écarquillait les yeux, sidéré. Il ouvrait déjà la bouche pour remercier E.T. mais l'auguste docteur du cosmos lui fit signe de se taire et colla à nouveau l'oreille contre la porte de la chambre de Gertie.

« *Si tu crois aux fées, tape dans tes mains.* »

Le vénérable navigateur frappa doucement l'une contre l'autre ses énormes paumes d'un autre monde.

Il passa une grande partie de la soirée à la fenêtre de son cagibi. Le spectacle de la lune l'emplissait d'une indescriptible nostalgie, la Voie Lactée susurrait à son cœur un doux murmure lumineux. Substantiels ou subtils, tous les rayonnements cosmiques étaient pour lui visibles et resplendissaient devant ses yeux largement ouverts à l'espace-temps. Il écoutait les harmonies secrètes de la musique des astres entraînés dans leur vol par la grande roue stellaire, et leur discours parvenait jusqu'à lui dans l'obscurité, voix solennelles de géants traversant l'immensité.

Il posa son front sur l'appui de la fenêtre, l'esprit et le cœur submergés de mélancolie. Jadis, il avait pris sa part au Grand Ouvrage de la Grande Roue et il lui avait été donné d'être témoin des miracles de l'Univers; il avait même assisté à la naissance d'une étoile. Et aujourd'hui voilà qu'il était séquestré dans un placard d'un mètre vingt sur un mètre cinquante, avec pour toute compagnie un parapluie volé et un Muppet en peluche.

Il se tourna vers son compagnon, mais le Muppet continuait obstinément à fixer les ténèbres de ses gros yeux de verre, perdu dans ses propres pensées.

La solitude cosmique pénétra E.T. de la tête aux pieds. Chaque pore de sa peau aspirait douloureusement, jusqu'aux fibres les plus intimes, à la lumière stellaire qui baigne le Trapèze où la beauté d'Orion prend son souffle, de resplendissantes couleurs emplissant la nébuleuse. Et à celle des Pléiades où le halo bleu d'une jeune étoile va droit au cœur. Et à celle de la Grande Nébuleuse, qui va dérivant toujours un peu plus et chuchote son majestueux secret à ceux qui la suivent dans sa dérive à travers les mers cosmiques.

Déchiré par ces souvenirs et par d'autres encore,

il s'arracha à sa contemplation et ouvrit doucement la porte de la penderie.

Il dépassa sur la pointe des pieds la forme endormie d'Elliott et s'engagea dans le couloir. Il marchait silencieusement, son ombre difforme s'étirant sur le mur comme celle d'une courge à deux pattes, un vrai melon d'eau ambulant – silhouette bizarre dans un monde étranger.

Maintenant il se voyait avec des yeux de Terrien : il avait assimilé leurs idées sur la beauté et le nombre d'or et se trouvait irrémédiablement grotesque, un outrage pour l'esprit et pour les yeux – crétin d'une impossible laideur...

Il jeta un coup d'œil dans la chambre de Gertie et regarda un moment l'enfant dormir. Gertie, *elle*, le trouvait séduisant, mais pour elle, Kermit la Grenouille était un fringant cavalier!

Il se glissa dans le couloir jusqu'à la chambre de Mary, et là, retint son souffle.

La créature-saule était endormie et il resta là à la contempler pendant un long moment. Une déesse, la plus belle qu'il eût jamais vue. Sa chevelure radieuse, répandue sur l'oreiller, était un véritable clair de lune : ses traits réguliers à la joliesse si délicate égalaient en perfection ce que la nature peut offrir de plus parfait : ses yeux clos étaient des papillons endormis sur le narcisse de la nuit et ses lèvres étaient comparables en tout point aux pétales de l'ancolie.

Mary, soupira son vieux cœur.

Puis, sur ses pieds-nageoires, il s'approcha sans bruit de son lit.

C'était la plus adorable créature que l'Univers entier eût jamais connue, et lui – il lui avait donné quoi?

138

Rien.

Il lui avait volé son Détecteur de Flics.

Il la regardait se retourner dans son sommeil. Mais quel que fût son rêve, il ne faisait nulle place, il le savait, à certain botaniste intergalactique à la silhouette de pot à tabac. Il posa doucement un M & M sur son oreiller et quitta la pièce.

Harvey le chien l'attendait au bout du couloir.

Sa langue pendait un peu et il regardait fixement l'étrange personnage qui venait à sa rencontre de sa démarche dandinante, la bedaine aussi avantageuse que toute une brochette de propriétaires repus.

E.T., au passage, donna à Harvey une petite tape d'encouragement. Un courant d'impulsions électro-magnétiques descendit le long de l'épine dorsale du chien : *blip*, *blip*, *blip*... et sa queue se recourba comme un crochet de portemanteau. Il tourna sur lui-même, regarda sa queue, regarda E.T.

– Défais ma queue, tu veux?

L'hôte venu de l'espace lui donna une petite tape sur le nez et la queue du chien se déroula.

Ils poursuivirent leur périple à travers la maison. C'était maintenant devenu l'habitude de chaque nuit, après que la maisonnée fut endormie. Harvey trottait à pas feutrés aux côtés de l'invité. Ils descendirent l'escalier. Arrivé au rez-de-chaussée, E.T. fit une halte et sortit le téléphone de son alcôve. Il attendit la tonalité puis colla le récepteur contre l'oreille de Harvey. Le chien écoutait attentivement. Il avait vu tant de fois Elliott tourner le cadran de cette chose avec le doigt et parler dedans. Ça ne manquait jamais : quelques instants plus tard, une pizza faisait son apparition.

Harvey mit le nez dans un trou du cadran, le fit tourner. Il comptait fermement voir apparaître un steak-sandwich. E.T. ajouta quelques tours de cadran et écouta la voix endormie lui répondre.

– Allô! allô!

– Un steak-sandwich, dit Harvey, et des Milk-Bones comme garniture.

E.T. remit le téléphone dans sa niche et ils poursuivirent leur progression vers le living-room.

Sur le poste de télévision, il y avait une photo encadrée de Mary. E.T. la prit et posa un baiser sur les lèvres du portrait. Puis il le montra à Harvey.

Insensible à ces épanchements, le chien inspectait sévèrement la photo. Le verre était tout embué, à présent. Il était sûr de prendre une dégelée. C'était comme ça chaque fois qu'on trouvait quelque chose de baveux dans la maison. C'était encore lui qui allait prendre.

Il leva une patte et pressa E.T. de remettre la photo en place. Mais E.T. la mit sous son bras et l'emporta avec lui.

Comme ça, maintenant, pensa Harvey, ils penseront que c'est moi qui l'ai mangée.

Tout d'un coup, il regretta amèrement d'avoir mangé le tapis de bains, le balai, un des chapeaux de Mary et une savoureuse paire de gants de cuir. Parce que, maintenant, ça allait inciter tout le monde à tirer des conclusions hâtives.

E.T. errait dans le living-room. Un vase de fleurs trônait sur une table. Il les caressa avec amour et leur murmura quelques mots dans sa langue.

Harvey broncha, plein d'espoir. Dans un de ses rêves canins, il s'était un jour trouvé nez à nez avec tout un buisson de hamburgers et depuis il furetait sans arrêt dans tout le quartier pour essayer de le retrouver.

E.T. inclina la tige d'une rose et Harvey y enfouit

fiévreusement son museau, mais ça n'avait rien à voir avec la fleur de l'arbre à beefsteak haché, ce n'était qu'une idiote de rose.

E.T. appliqua tendrement la fleur contre le portrait, entrelaçant la tige au filigrane du cadre, de façon à unir la rose et la jeune femme – les deux plus belles choses de la Terre.

Ils achevèrent leur vadrouille par une visite à la cuisine.

La queue de Harvey se mit à remuer et sa langue décrivit un cercle parfait par-dessus son nez : cette pièce était le centre même de tous ses espoirs de chien.

E.T. pointait son doigt :

– Réfrigérateur.

Harvey acquiesça avec enthousiasme et son gosier émit un petit cri plaintif. Cela faisait des années qu'il essayait de placer sa patte autour de la poignée de cette grande boîte, mais l'évolution des espèces lui avait refusé le pouce opposable aux autres doigts.

E.T. ouvrit la grande boîte, sortit le lait et un gâteau au chocolat de la Ferme Pepperidge. Harvey poussait des gémissements pathétiques, il salivait, sa queue battait l'air. E.T. lui donna un reste de côtelette de porc.

Harvey se jeta dessus avec de joyeux petits grognements et déchira la tendre viande à belles dents. Il marqua un temps d'arrêt pour contempler E.T.

– Je suis *ton* chien. S'il y a quoi que ce soit qui ne va pas, fais-le-moi savoir.

9

La voiture des pizzas n'était plus la seule à hanter les parages, le soir venu. Depuis peu, une camionnette inconnue avait fait son apparition dans les rues du quartier, mais elle ne contenait nullement les empilements familiers de boîtes de tomates et de boîtes de fromages aux effluves odorants. Elle était pleine de détecteurs-fouineurs électro-acoustiques, dont la sensibilité sophistiquée était assez poussée pour impressionner même un navigateur intergalactique.

Et l'opérateur installé au tableau de commande lumineux avait à sa ceinture un énorme trousseau de clefs. Les voix désormais familières de tous les gens du quartier fusaient au-dessus de sa tête.

Maman, pour faire des petits gâteaux, est-ce qu'une tasse de lait c'est pareil qu'une tasse de farine?

Ou : *Tout ce que je te demande, c'est de sortir immédiatement et définitivement de mon existence.*

Ou encore : *Non, ce soir je vais faire du baby-sitting. Jack, tu veux venir avec moi?*

La camionnette roulait au pas, silencieusement, le long des immeubles, épluchant chaque phrase, chaque conversation, essayant de recomposer le puzzle d'une soirée dans le quartier.

Peter dit : « Les Peaux-Rouges ont été battus? Wendy et les garçons ont été faits prisonniers? »

Et puis...

Il a fini de construire son émetteur, Michael. Maintenant on peut le transporter et l'installer là-haut.

L'homme aux clefs fit un signe et la camionnette stoppa.

— *Tu sais, Elliott, il n'a pas l'air tellement dans son assiette, ces temps-ci.*

— *Ne dis pas ça, Michael, on va très bien.*

— *On, qui c'est « on » ? Tu n'arrêtes pas de dire « on » tout le temps, maintenant!*

— *C'est la télépathie. Je me sens... si proche de lui. J'ai parfois l'impression d'*être *lui.*

Un fouineur ordinaire aurait immédiatement laissé tomber. A n'en point douter, c'était là le monde de l'enfance en proie à son imagination débordante. Mais pour notre fouine, d'une espèce toute particulière, ces bribes de conversation étaient d'une importance aussi capitale qu'un message venu de Mars. Le plan de la rue fut déployé et la maison de Mary marquée d'un gros rond rouge. Le camion longea le bloc tandis que la voiture des pizzas tournait le coin.

Elliott expliquait comme il pouvait à E.T. en quoi consistait la fête de Halloween. Ce serait sa seule chance de circuler dans le quartier, à découvert.

— *Tout le monde* aura une allure bizarre, ce jour-là, tu comprends?... Oh, je suis désolé, E.T., je ne voulais pas dire que tu as une allure bizarre, tu es seulement... un peu différent, c'est tout.

— Epelle : différent, dit E.T.

Elliott plaça un drap sur la tête de l'auguste explorateur et lui fit enfiler d'énormes pantoufles de fourrure. Un chapeau de cow-boy vint couronner le tout.

— Ça fait drôlement bien, dit Elliott. On pourra t'emmener partout.

Elliott, pour sa part, s'était déguisé en monstre bossu. Ainsi l'apparence d'E.T. se fondrait-elle quelque peu avec la sienne, et le gobelin spatial pourrait

143

passer inaperçu. Mais, au rez-de-chaussée, le costume qu'avait choisi Michael semblait faire quelques difficultés :

– Non, disait Mary, c'est définitif. Pas question que tu y ailles en terroriste.

– Mais tous les mecs y vont habillés comme ça.

– Tu ne feras pas cent mètres dans le quartier, dans cet équipage.

– S'il te plaît, maman, je t'en prie.

– Non. Où est Gertie?

– Elle est en train de se préparer, là-haut avec Elliott.

En réalité, Gertie ne se préparait pas du tout. Elle filait en douce par la fenêtre.

Elliott se tourna vers E.T.

– Maman n'y verra que du feu, si tu te tiens tranquille et que tu t'enveloppes bien comme il faut dans le drap. O.K.! Gertie, c'est toi. D'accord?

– Gertie, dit l'auguste monstre, et il suivit Elliott dans l'escalier.

Mary les accueillit. Dans un mouvement de folle ferveur, en ce jour de Halloween, elle s'était déguisée, elle aussi, et portait une robe à motifs léopard et un loup sur le visage. Elle avait aussi une baguette magique de fée, piquée d'une étoile pour pouvoir frapper plus commodément sur la tête des petits visiteurs qui allaient bientôt envahir la maison au cri traditionnel de *Treat or trick!* (Des friandises, ou gare aux farces!)

– Hé! maman, tu es super!

Elliott n'était pas son seul admirateur. Le vénérable monstre, déguisé en Gertie et dissimulé sous un drap, ne quittait pas Mary des yeux. Elle était en tout point une émanation véritablement céleste, une créature des étoiles, et aujourd'hui elle était plus belle que jamais.

– Gertie, dit-elle en s'avançant vers lui, quel magnifique costume! Comment as-tu fait pour te fabriquer un ventre pareil?

Elle tapota la grosse silhouette de potiron et le navigateur millénaire poussa un léger soupir.

– On l'a rembourrée avec des coussins, dit Elliott nerveusement.

– Eh ben, ça fait drôlement bien, dit Mary. Mais voyons à donner à ce chapeau de cow-boy un air plus bravache.

Ses doigts voletaient tendrement autour de la tête de tortue. Derrière son drap, l'extra-terrestre rougissait de confusion. Un délicieux courant parcourait son cou d'autruche. Son cœur-lumière s'alluma et il le couvrit précipitamment de sa main.

– Voilà, dit Mary, c'est beaucoup mieux.

Elle se recula pour juger de l'effet produit.

– Surveille-la bien, Elliott, hein, et ne mangez rien qui ne soit pas enveloppé; et surtout n'adressez pas la parole à des inconnus.

Michael avait reparu – son costume de terroriste légèrement modifié.

– Et ne mangez pas de pommes, il pourrait y avoir des lames de rasoir dedans. Et ne buvez pas de punch, on pourrait y avoir mis du LSD.

Mary se pencha pour embrasser les deux garçons, puis le gobelin de l'espace. Les genoux d'E.T. se dérobèrent, ses circuits sous-cutanés frémirent, une infinité de petites lumières aussi belles que la Nébuleuse d'Orion affluèrent à son cerveau.

– Bon, dit Mary, les enfants, amusez-vous bien.

Elliott dut littéralement traîner le respectable gobelin vers la sortie. Il restait cloué devant Mary:

on eût dit qu'il assistait à la naissance d'une étoile. Il trébuchait dans ses pantoufles mais, arrivé à la porte, il parvint à lancer un dernier regard en arrière.

– Au revoir, chérie, dit Mary.

Au revoir, chérie, répondit-il muettement. Mais son cerveau retentissait des échos croisés d'un amour cosmique.

Ils l'entraînèrent dans l'allée et de là en direction du garage. Gertie les attendait, enveloppée elle aussi dans un drap, à côté du parapluie-phare-émetteur; les autres composants étaient emballés dans une boîte en carton. Il regarda sa machine et, un bref instant, il se demanda si vraiment il désirait l'utiliser. Ne serait-il pas plus heureux dans le placard, coulant des jours paisibles non loin de Mary?

– Ça va, E.T. Saute!

Ils le hissèrent dans le panier de la bicyclette, fixèrent solidement l'émetteur au porte-bagages, sur la roue arrière, et s'engagèrent dans la rue.

Il voyageait dans le panier, ses courtes jambes repliées sous lui et regardait passer, les yeux écarquillés, la parade des enfants de la planète : princesses, chats, clowns, vagabonds, pirates, diables, gorilles, vampires et Frankensteins. La Terre n'en finirait jamais de l'étonner.

– Cramponne-toi, E.T.

Elliott sentait tout le poids de la créature qu'il transportait dans le panier, cet être chétif tombé du ciel mais porteur de telles révélations! Cette nuit, ils partaient en mission et cette mission lui donnait un sentiment entièrement nouveau. Tandis qu'il tenait son guidon et pédalait, Elliott prit conscience qu'après tout, il n'était pas si ringard que ça. Sa ringardise l'abandonnait comme une vieille peau, à mesure qu'il avançait dans l'ombre. Il sut tout d'un coup qu'en dépit de sa myopie, de sa mollesse et de son penchant naturel à la dépression, il était fait pour cette entreprise. Dans le glissement des roues, il se sentit heureux, libre et touché par le doigt des grands espaces extérieurs. Il regarda Michael, et Michael sourit, son appareil dentaire étincelant sur ses gencives. Il regarda Gertie, et Gertie lui fit un signe, gloussant à la vue de la dégaine d'E.T. tout recroquevillé dans le panier, avec ses pieds qui dépassaient dans ses pantoufles fourrées.

Nous allons le rendre à ses contrées d'origine, pensa Elliott en regardant la Voie Lactée. Elle resplendissait sur fond de fils télégraphiques, à travers la couche polluée de l'atmosphère terrestre. Une étrange lumière diffuse émanait d'elle, la grande flamme froide semblait former des lambeaux de voiles de navires et des traînées de filets de pêche qui descendaient vers lui, le touchaient presque et repartaient à la dérive.

– Whaaa! C'est bien le costume le plus extraordinaire que j'aie jamais vu de ma vie, dit l'homme qui leur avait ouvert.

Sa femme se tenait à côté de lui dans l'entrée, sidérée, les yeux écarquillés; les enfants se cachaient derrière eux, frappés d'une mystérieuse terreur, zieutant l'extra-terrestre, à l'abri derrière les jambes de leurs parents.

E.T. avait enlevé son drap. Il était certainement unique en son genre dans toute l'histoire de Halloween, avec son chapeau de cow-boy et ses pantoufles, avec ses yeux incroyables, son ventre qui traînait par terre et ses pieds en forme de racines.

Partout où ils s'étaient rendus, ils avaient fait un tabac. Il aimait ça. Pendant des semaines, il avait été enfermé dans un placard. Et maintenant, il tendait son panier de petit farceur de Halloween : « Des friandises ou gare aux farces ! » – et on lui donnait des bonbons en quantité.

– Absolument extraordinaire ! murmurait l'homme en les raccompagnant à la porte.

Il ne pouvait détacher ses yeux des orteils d'E.T., longs comme des racines, et qui traînaient sur la moquette de l'entrée.

E.T. fit une halte sur le trottoir pour examiner le contenu de son panier. Sa récolte de gaufrettes et de pastilles de qualité supérieure était suffisante pour le sustenter dans l'espace pendant des jours et des jours. Il y avait une quantité formidable de M & M et même une barre de chocolat porteuse d'une énergie particulièrement concentrée, ayant nom Milky Way, Voie Lactée, et destinée, de toute évidence, aux voyages au long cours.

– Tu as un succès fou, E.T., dit Elliott.

Ils marchaient côte à côte sur le trottoir, Elliott tenant sa bicyclette d'une main, E.T. se dandinant allégrement. Le bonheur qui se dégageait de l'auguste créature était presque tangible. Elliott savait ce que c'était d'être un phénomène à part dont tout le monde se moque : il avait toujours été de cette espèce d'enfants, vous savez, pas tout à fait comme les autres. Et on le traitait absolument comme si, lui aussi, il avait eu un nez en forme de chou de Bruxelles. Mais tout ça, c'était de l'histoire ancienne. Tout d'un coup, il se sentit plus mûr, plus sagace, et complètement en prise avec les mondes lointains ; telles des comètes, d'immenses pensées allaient et venaient au fond de son esprit, laissant derrière elles de longues traînées d'émerveillement flamboyant.

Quant au susdit chou de Bruxelles, il n'avait pas manqué de remarquer que certains enfants allaient coller leur œil aux fenêtres des maisons du quartier. Il tira Michael par la manche et lui expliqua que tel était également son souhait.

Ils se faufilèrent dans une allée privée et se postèrent derrière les fenêtres d'une des maisons. Un homme en maillot de corps arpentait la pièce, une boîte de bière à la main, cigare au bec. L'extra-terrestre souriait, le menton sur l'appui de fenêtre. S'il pouvait continuer comme ça, à aller tous les soirs reluquer derrière les vitres avec ses amis, la vie sur Terre vaudrait vraiment la peine d'être vécue.

– Viens, E.T., chuchota Gertie, viens avec moi.

Sans bruit, ils firent le tour de la maison. Arrivés à la porte d'entrée, ils appuyèrent sur la sonnette et s'enfuirent à toutes jambes.

Ses pantoufles en fourrure claquaient sur le sol, l'une d'elle glissa, et il perdit son chapeau de cow-boy. Il hurlait de joie. Maintenant, il se sentait vivre – il serait désormais un Terrien à part entière.

– Plus vite, plus vite, disait Gertie.

Haletants, ils allèrent s'abriter derrière une rangée d'arbustes. Les doigts de pied d'E.T. émettaient leur petit brouillard habituel. Le respectable navigateur était si passionnément excité que ses mains lançaient tous azimuts des signaux digitaux frénétiques touchant aux secrets les plus intimes de l'évolution de l'Univers. Du coup, toute la rangée d'arbustes parut tomber en syncope puis se mit à fleurir, tout à trac. Mais le plus grand botaniste de

149

tous les temps était déjà loin, occupé à passer du savon sur les vitres des voisins, selon la malicieuse tradition de Halloween.

Ils allaient ainsi, de pâté d'immeubles en pâté d'immeubles. Mais, dans l'excitation du moment, les provisions de friandises avaient considérablement diminué, et le vénérable fêtard indiqua son désir d'en faire une nouvelle récolte.

– O.K.! dit Elliott. Essayons cette maison.

Elliott marchait en tête. Il n'y avait plus rien à craindre maintenant. Personne ne s'étonnerait plus de l'allure monstrueuse de son compagnon. Les gens le prendraient pour un enfant parmi d'autres, avec une combinaison en caoutchouc.

E.T. lui-même ne se sentait plus tellement différent. Il commençait à penser, lui aussi, que son allure d'un autre monde n'était qu'un vêtement d'emprunt endossé pour la circonstance. Au-dedans il y avait un humain authentique qui mangeait des bonbons, tirait les sonnettes, criait *Treat or trick!* et se frottait le bout du nez en rond, comme les autres.

La porte s'ouvrit et, pour la première fois de la soirée, il se mit à cligner des yeux peureusement : sur le seuil se tenait certain petit nabot, certain petit rouquin qui avait nom Lance, et pour lequel il avait toujours éprouvé la plus grande méfiance. Et Lance le lui rendait bien.

– Et ça, c'est qui? demanda-t-il.

Lui n'aurait pas juré que ces bras trop longs, ce ventre en forme de boule de bowling, là, sur le pas de la porte, fussent en caoutchouc.

– C'est... c'est mon cousin, bégaya Elliott.

Il se serait volontiers envoyé des coups de pied à lui-même, tant il s'en voulait de n'avoir pas reconnu la maison de Lance. Maintenant, ils étaient piégés. Lance fit un pas vers eux.

– Il a l'air vraiment bizarre, dit Lance, faisant un nouveau pas en avant, attiré par une force incompréhensible qui, profondément, le mettait en fait au diapason du phénoménal navigateur.

Ce garçon, diagnostiqua intérieurement le vénérable astronaute, est une larve, un lémure, un lepte enfin! Et il recula. Elliott recula de conserve. Lance continuait à avancer sur eux tandis qu'ils battaient en retraite. Ils sautèrent sur leur vélo et Lance sauta immédiatement sur le sien.

– Epelle le mot « vitesse », dit E.T.

Elliott se mit à pédaler de toutes ses forces, furieux de ne s'être pas davantage méfié, d'avoir voulu si bêtement présenter E.T. au monde entier. Mais comment voulez-vous cacher au monde un secret pareil? Vous avez envie, au contraire, d'en faire part à tout le monde et que les gens restent sans voix, à béer d'admiration, et vous tenez à voir la tête qu'ils vont faire!

Mais le montrer à un lepte comme Lance, ça non. Les lémures, les leptes, personne ne peut leur faire prendre des vessies pour des lanternes. Un lepte peut reconnaître un homme de l'espace au premier coup d'œil.

E.T. était blotti dans le panier de la bicyclette, tête baissée, ses pieds dépassant toujours. Que pouvait faire Lance? Le dénoncer aux autorités? Est-ce qu'il allait vraiment finir empaillé?

Elliott tourna la tête et regarda derrière lui par-dessus son épaule, scrutant l'obscurité. Plus trace de Lance. Il n'avait sûrement pas pu continuer à pédaler assez vite.

– Ça va, dit-il, on l'a semé.

Mais ils ne l'avaient pas semé du tout. Lance, toujours en prise sur sa proie, fonçait dans la nuit par des raccourcis connus de lui seul. Comment pouvait-il savoir quand tourner, ou à quelle hauteur il fallait prendre un raccourci? Quelque chose le guidait, télépathiquement. Il était en résonance parfaite avec le système psychique d'E.T. et il roulait frénétiquement, à une vitesse qui n'avait plus rien à voir avec les moyennes habituelles aux leptes. Ses cheveux roux se plaquaient en arrière, ses oreilles en feuilles de chou fendaient l'air, il pédalait comme un fou dans le clair de lune, rue après rue, sur les traces d'Elliott.

Les lumières de son vélo étaient éteintes, seuls ses réflecteurs envoyaient en tournoyant des échos-sondes dans l'obscurité, mais personne ne pouvait les voir. Lance avait à la fois chaud et froid et, en même temps, pour la première fois de sa vie, il se sentait dans le coup. Dans sa courte vie de jeune lepte, les choses n'avaient jamais très bien marché, il n'avait pas fait grand-chose de son existence, à part jouer à des jeux électroniques avec lui-même. Mais cette nuit, cette nuit, son vélo semblait bouillonner d'énergie et il prenait les virages à la corde comme un vrai pistard professionnel. Ses mâchoires frémissaient d'excitation passionnée. Le vent soufflait sur son épi de cheveux. La nuit lui était favorable.

Il bondit sur un cahot de la route, ses roues grincèrent, il avait pu capter une image d'Elliott, tout là-haut. Le réflecteur du vélo d'Elliott pris dans la lumière d'un réverbère, à la sortie de la ville.

Il pique droit sur les collines, pensa Lance. Il eut un petit sourire de triomphe tandis que son vélo passait en trombe sous le réverbère, rapide et silencieux, guidé par un cycliste au flair infaillible. Il était sur la bonne piste et sentait ses tempes bourdonner...

Il s'inclinait bas sur le guidon et ses pieds actionnaient les pédales à toute vitesse. De nouvelles et profondes idées sur le cosmos agitaient son esprit et il avait l'impression que pour un peu il aurait pu voler dans les airs. Il sourit à nouveau : tous les enfants se moquaient de lui parce qu'il ne mangeait que des petits suisses. Et après ? Qu'est-ce que ça pouvait bien lui faire maintenant ! Avec ce sentiment de puissance où il lui semblait flotter !

Il quitta la grand-rue avant le dernier réverbère et prit la petite route de campagne vers les collines.

Elliott regardait de temps à autre par-dessus son épaule, mais il ne pouvait pas voir son poursuivant. Il sortit de la route et prit la sente pare-feu.

Le pèlerin de l'espace rebondissait dans le panier avec les cahots de la route, le ventre collé contre le câble du frein qu'il agrippait des deux mains.

Maintenant qu'ils touchaient au but et approchaient du cher vieux terrain d'atterrissage, son esprit se mettait à tourner à mille tours minute. Il fallait installer l'émetteur pour qu'il puisse commencer à envoyer les signaux. L'espace était immense et le temps infini : il n'y avait pas une minute à perdre. Mais, tout d'un coup, comme Elliott allait lentement ! Le vélo avançait à peine !

– Elliott !

– Ouais ?

– Forme les mots : accroche-toi.

Le vagabond de l'espace agita les doigts et libéra une formule anti-pesanteur de niveau 1, le plus élémentaire. Le vélo décolla du sol et prit son vol, en rase-mottes au-dessus des broussailles, puis frôla la cime des arbres. Il prit enfin sa vitesse de croisière au-dessus de la forêt.

Ah, voilà qui est mieux, bien mieux, pensa le vénérable navigateur, et il se réinstalla dans son panier.

Elliott restait figé sur sa selle, les bras raidis sur le guidon, bouche bée. Ses cheveux s'étaient dressés tout droit sur sa tête. Les roues du vélo tournaient lentement dans le vent, mais son esprit tournait à toute vitesse tandis qu'il regardait la forêt au-dessous d'eux. Il pouvait voir la piste pare-feu et tous les autres chemins, entre les arbres. Et au-dessus de lui, la lune resplendissait à travers les nuages argentés.

A quelques mètres sous eux, un hibou se réveilla. Il étira paresseusement ses ailes et fit claquer son bec, ravi à l'idée de croquer quelque souris ou quelque pipistrelle. Il s'élança dans les airs et donna quelques coups d'ailes nonchalants pour prendre de la hauteur. Soudain ses grands yeux s'écarquillèrent comme des soucoupes et il opéra un brutal crochet, en catastrophe.

Qu'est-ce que diable...?

Elliott et son vélo, plus un gobelin spatial dans un panier, avaient télescopé le hibou! Donnant de la bande, l'oiseau s'abattit en piqué sur le sol où il s'écrasa, abasourdi. Juste au moment où Lance arrivait en trombe. Le hibou tournoya sur lui-même et manqua se faire écraser par le lepte qui continuait à foncer, droit devant lui.

Qu'est-ce qui arrive à cette forêt? se demandait le volatile hébété, mais Lance n'avait pas le temps de lui répondre. Il poursuivait sa course, bondissant sur les racines, sur les pierres du chemin, sur les branches tombées. Sa tête, emplie d'impulsions électromagnétiques, bruissait d'échos, il semblait mû par un pilote automatique naviguant sur instructions secrètes. La forêt lui était hospitalière et lui ouvrait gentiment ses sentiers; le lepte se glissait avec facilité dans des endroits où bien des forestiers endurcis seraient restés bloqués.

Mais où était passé Elliott?

Le clair de lune filtrait en longs fils de la Vierge, tout argentés, à travers le baldaquin de feuillages au-dessus duquel Elliott naviguait, invisible pour Lance et pour le monde entier. Sa présence n'était sensible qu'à quelques chauves-souris traumatisées et glapissantes, qui filaient comme l'éclair ou plongeaient en piqué dès que la bicyclette arrivait dans leur espace aérien. Les pieds d'Elliott activaient lentement et nerveusement les pédales et la chaîne cliquetait dans les airs. Il avait toujours su, dans le secret de son cœur, que sa bicyclette pouvait voler, il en avait souvent eu le pressentiment en grimpant la colline jusqu'à la ligne de crête, mais jusqu'à ce soir, la touche finale de magie avait toujours fait défaut au dernier moment. Cette magie, c'était E.T., et sa science de l'espace était si achevée, si raffinée qu'elle ne pouvait être le privilège que de très anciennes créatures. Cette magie, c'était elle qui gouvernait leurs prodigieux Vaisseaux : rien d'étonnant donc à ce qu'elle puisse aider un malheureux vélo à parcourir quelques kilomètres jusqu'au terrain d'atterrissage.

L'auguste transfuge pouvait maintenant apercevoir de son panier l'aire de déboisement tandis que la bicyclette amorçait sa descente. Il contrôla l'atterrissage d'une manière délicate. La bicyclette glissa sur quelques mètres au-dessus de l'herbe, puis toucha doucement la terre ferme, pour ne se renverser sur le côté qu'au tout dernier moment : les orteils du vénérable navigateur s'étaient coincés dans les rayons de la roue.

– Ouf!

La bicyclette tomba et E.T. atterrit finalement sur le crâne. Il s'extirpa de son panier; ses doigts de pied lui faisaient un peu mal, mais il était trop agité pour y prêter davantage attention. Elliott se relevait, lui aussi, et se mit aussitôt à déballer l'émetteur.

Le vieux bourlingueur alla d'abord inspecter la clairière pour vérifier qu'aucun de leurs poursuivants de l'autre soir ne se cachait dans l'ombre. Son radar sensoriel interne explorait à distance la lisière de la forêt qui leur faisait face et le faisceau invisible tomba juste sur Lance. E.T. envoya quelques signaux électromagnétiques dans sa direction. Mais pourquoi? Eh bien, parce que l'onde du lepte n'était pas si différente que cela de l'onde d'E.T. : c'était celle d'un proscrit, d'un solitaire, d'un marginal, et E.T. le balayait de son radar sans éprouver la moindre crainte à son égard.

E.T. revint près d'Elliott et lui fit signe. On pouvait commencer à installer l'émetteur.

Telle une assiette magique, la lame de scie circulaire tournait comme par enchantement; à ses côtés, le couple couteau-fourchette semblait danser tout en faisant avancer les dents de la lame. Mais au principe de cette rotation magique, qu'y avait-il? Un induit à ressort avait été attaché au tronc d'un jeune arbre. Chaque fois que le vent courbait l'arbre, le fil induit se tendait, soulevant le rochet d'encliquetage constitué par le couple couteau-fourchette; les dents de la fourchette avançaient, faisant tourner la lame dont la surface était parcourue par les pinces à cheveux qui, elles-mêmes, induisaient le programme du Dictographe. Et qu'est-ce qui fournissait l'énergie au Dictographe? Des centaines de fils, que le botaniste avait branché sur les arbres; lesquels fils couraient dans les veinules des feuilles, dans les branches, dans les racines, et tiraient de la vie le courant électrique, comme le vin d'un tonneau. Par quel mécanisme? Cela, seul l'extra-terrestre aurait pu le dire. Mais Elliott pouvait sentir la vie de la forêt circuler par le canal de tous ces fils qui convergeaient vers l'émetteur et l'alimentaient en énergie.

Le parapluie ouvert, doublé d'une feuille métallisée réfléchissante, brillait dans le clair de lune. En fait, il allait répercuter bien autre chose que le clair de lune vers les espaces intersidéraux. La surface courbe, parabolique, allait pulser dans l'immensité le message micro-ondes élaboré par le Détecteur de Flics et relayé par le tuner UHF.

Gleeple doople zwak-zwak snafn olg mmnnnnip..., ou quelque chose comme ça. Le véritable son qui sortait de la machine était évidemment plus raffiné, et de loin, mais notre alphabet ne permet pas de véhiculer toute la subtilité des sonorités restituées par la distorsion du programme du Dictographe.

Elliott se tenait dans le champ du signal sonore, il accompagnait le message de tous ses vœux, mais l'émission semblait si ténue, et si faible la voix à l'assaut de l'immensité...

Voyant l'incertitude de l'enfant, l'extra-terrestre lui toucha l'épaule :

– Nous avons trouvé un créneau. Et notre fréquence correspond bien à ce créneau. Ils vont sûrement nous capter.

Ils se tinrent là, debout à côté de leur poste émetteur, un long moment encore, silencieux. Les étoiles semblaient écouter, elles aussi. Et bien sûr, le lepte était toujours aux aguets.

Pendant ce temps, Mary essayait de faire face à la marée des petits lutins visiteurs qui envahissaient sa maison.

– Oui, oui, entrez. Mon Dieu, que voilà une bande bien effrayante.

Ils chantèrent et exécutèrent quelques petites danses en son honneur. Des boules de gomme toutes collantes sortaient de leur bouche en plein milieu des chansons et venaient s'écraser sur la moquette; leur gestique expressive et bien en mesure envoyait les sucettes humides se coller au papier peint façon tissu; bon, quand elle essayerait de les enlever, ça arracherait toute la texture. Harvey mordit l'un des petits gobelins. Et pendant que le chien de garde sans peur et sans reproche était ainsi engagé dans cette importante action de molestation d'un enfant innocent, en haut des escaliers, une fenêtre s'ouvrait : celle de la chambre de Mary, et un agent fédéral entrait, un appareil de détection électronique à la main. La petite lumière papillotante et l'aiguille tremblotante le conduisirent en direction du couloir.

L'agent du gouvernement fédéral entra dans la chambre d'Elliott et, là, le bidule commença à vraiment s'affoler, pour devenir complètement enragé aux abords de la penderie. Après avoir fouiné un peu, l'agent fédéral, sembla satisfait; il se glissa à nouveau sans bruit dans le couloir et

ressortit sans encombre par la fenêtre de Mary
tandis qu'en bas on muselait Harvey avec un mouchoir noué, l'enfant hurleur se voyant largement
approvisionné en subsides chocolatés.

Gleeple doople zwak-zwak.
Elliott et E.T. étaient assis à côté de l'émetteur,
les yeux fixés sur la voûte étoilée, tandis que Lance
le lepte continuait à les épier. Mais le ciel restait
silencieux et impavide.
Après de longues heures d'attente, Elliott finit par
s'endormir et Lance se souvint qu'il devait être de
retour chez lui pour 9 heures, de sorte que l'antique
navigateur resta seul face à sa machine.
Dans l'obscurité, il essayait de suivre des yeux le
trajet des signaux qui pulsaient à l'infini vers les
espaces intersidéraux.
Il se sentait un peu patraque. Il avait peut-être
mangé trop de sucreries.
Il flâna dans la forêt, rendit visite aux végétaux. Il
se sentait lourd, sa démarche était plus pesante
encore que d'habitude. Peut-être était-ce d'avoir
savonné toutes ces fenêtres et d'avoir participé à
toute cette frénésie confinant vraiment à la folie. Il
n'était pas habitué à tout ça.
Il marcha vers un petit torrent, non loin de là, et
s'assit sur la rive. Le son de l'eau était enchanteur. Il
y plongea la tête. Il resta ainsi des heures à écouter,
à écouter le sang courir dans l'artère de la terre.
Puis il s'endormit, la tête toujours sous l'eau.

– Il est plutôt petit, il mesure environ un mètre
trente, dit Mary à l'agent de police. Il est déguisé en

bossu. (Elle se mit à pleurer.) Il a avalé une lame de rasoir, ajouta-t-elle, j'en suis sûre.

– Ecoutez, madame, dit le policier, des tas d'enfants se perdent, le jour de Halloween. Il n'est sûrement rien arrivé à Elliott.

L'aube grise se levait sur le quartier. Gertie et Michael étaient rentrés la veille à 10 heures. Mais le lit d'Elliott était vide. Mary était en miettes, une fois de plus. Elle regardait l'agent de police à travers ses larmes.

– Dernièrement, je l'ai traité de façon affreuse. Je l'ai obligé à ranger sa chambre.

– Ça ne me semble pas complètement déraisonnable, dit le policier.

Harvey essayait d'envoyer un message, mais il était encore bâillonné. Il posa ses pattes sur la porte et émit de petits gémissements étouffés.

– Elliott!

Mary se leva d'un bond. Elliott arrivait par la porte du fond. En signe de gratitude, elle défit le mouchoir et le chien se mit à hurler de soulagement, faisant fonctionner ses mâchoires de haut en bas.

– C'est notre « porté disparu »? demanda le policier avec un sourire.

Il referma son carnet, le rangea, et abandonna la famille à ses retrouvailles.

– Mike, il faut aller le chercher. Il est dans la forêt. Il est quelque part près de l'aire de déboisement.

Mary avait mis Elliott au lit. Et, maintenant, le « porté disparu », c'était bel et bien E.T. Michael se rendit dans le garage et sortit son vélo. Quelques

160

minutes plus tard, il pédalait sur la route – suivi par une voiture.

Regardant par-dessus son épaule, il vit trois silhouettes assises dans la voiture. Les hommes le regardaient intensément. Il coupa à angle aigu dans un passage étroit entre deux maisons, sema la voiture et piqua droit sur les collines.

Il découvrit E.T., la tête immergée dans le torrent. Le vieux navigateur ne semblait vraiment pas dans son assiette, mais il répéta sur tous les tons qu'il allait très bien, et qu'il avait seulement voulu mettre la tête dans l'eau pour écouter.

Il gesticulait, montrait le torrent, le ciel, et évoquait bien d'autres choses encore, mais Michael le trouvait bien pâle. Sa démarche était lente et lourde.

10

– Allons, tu ne l'as pas fait marcher très longtemps, dit Michael. Sois raisonnable.

– Dis-lui ça à lui, dit Elliott, en désignant d'un signe du menton le placard où E.T. était assis, à broyer du noir.

Le patriarche de l'espace savait bien lui aussi que c'était absurde de s'attendre à un résultat immédiat ou même peut-être à un résultat tout court. Mais il ne pouvait s'en empêcher. A peine endormi, il avait rêvé du grand Vaisseau; il avait vu le bel ornement descendre vers lui. Mais, à son réveil, il s'était retrouvé aussi seul qu'avant, avec pour toute compagnie une boîte de biscuits au chocolat à moitié vide et un imbécile de Muppet qui le fixait stupidement.

Quelque part dans la maison, Mary vaquait à ses corvées ménagères, se demandant si la vie lui apporterait jamais d'autres surprises qu'une paire de baskets faisant leur apparition dans le Frigidaire. Elle déplaçait le balai avec accablement, ramassant des bouts de cordes de guitare et des grains bizarres qui avaient tout l'air d'être de la marijuana. Dernièrement, Elliott et Michael s'étaient comportés de façon très étrange. Et Gertie aussi. Elle s'inquiéta : toute la famille ne s'était quand même pas mise à fumer !

L'image de leur père, l'incorrigible fainéant, lui traversa l'esprit. Elle se mit à fantasmer à son propos. Parti. Pour Mexico.

Au fait, il fallait absolument qu'elle prenne des leçons de danse acrobatique. Et, de toute façon, qu'elle s'achète une nouvelle paire de chaussures.

Mais la vie pouvait-elle encore vraiment lui réserver des surprises ?

La vie n'était-elle pas exactement ce qu'elle serait toujours, à part qu'il y aurait en plus les rides, et qu'il faudrait qu'elle achète des crèmes toujours plus coûteuses, au placenta ou des machins comme ça, pour les combattre ?

Elle débrancha l'aspirateur. On sonnait à la porte.

Pour quelque motif inexpliqué, l'espoir se mit à refleurir en son cœur. C'était fou, elle le savait bien, mais ces jours-ci, toute la maison était en folie. Elle se dirigea vers la porte, persuadée que son charmant clodo de mari était revenu pour fêter le bon vieux temps. Ou alors quelqu'un d'autre, pour fêter le bon nouveau temps. Un grand brun, du genre ravageur.

Elle ouvrit la porte.

C'était un petit rouquin leptoïde.

– Il est là, Elliott?

– Une minute, Lance...

Elle poussa un soupir, tourna les talons et monta l'escalier. La chambre d'Elliott était fermée à clef. Comme d'habitude. Qu'est-ce qu'ils fricotaient là-dedans? Quelles horreurs qui allaient l'obliger à acheter les crèmes placentaires avant l'heure?

Elle frappa à la porte.

– Elliott, il y a ce garçon, en bas... Lance...

– C'est une larve. Dis-lui d'aller se faire foutre.

– Non, Elliott. Je ne peux pas faire ça. Je lui dis de monter.

Elle redescendit. Elle avait le sentiment qu'ils étaient vraiment le collier de misère de son existence. Est-ce que vraiment rien de rien ne pouvait arriver de nouveau?

– Merci, dit le lepte larvaire en passant devant elle dans l'escalier.

Dans son existence à lui, quelque chose d'incroyablement nouveau s'était produit, et il allait le traquer ce quelque chose, en haut de cet escalier, à la source. Ses oreilles en feuilles de chou, que sa mère scotchait tous les soirs pour les obliger à reprendre une position plus séduisante, semblaient encore plus décollées que d'habitude, ruinant tous les espoirs maternels. Il frappa à la porte d'Elliott.

– Laisse-moi entrer.

– Fous le camp.

– Je veux voir l'E.T.

Il jubila du silence soudain qui se fit derrière la

porte. Incontestablement, ses paroles avaient produit leur petit effet.

La porte s'ouvrit en trombe. Il fit irruption dans la pièce.

— Ecoute, laisse-moi préciser ma position depuis le début de cette affaire. Je reconnais que j'ai eu tort. Les hommes de l'espace, j'y crois. J'en ai vu un avec toi cette nuit dans la forêt.

— Je t'ai dit et répété, dit Elliott, que c'était mon cousin.

— Alors c'est que tu as une famille épouvantablement laide. Puisque je te dis, Elliott, que je l'ai vu de mes propres yeux.

— Non, tu ne l'as pas vu.

— Ecoute, je ne suis pas un mauvais cheval, mais il y a un bonhomme dans la rue en ce moment qui n'arrête pas de frapper aux portes et de poser aux gens un tas de questions indiscrètes du genre : Est-ce que vous n'avez rien vu d'étrange dans le quartier, ces temps-ci?

— Et alors?

— Et alors, je pourrais bien aller le trouver tout droit et lui raconter tout ce que je sais. Et j'en sais un paquet, imagine-toi.

Lance regarda Elliott. Son teint de petit-suisse avait rosi. Ce n'était pas un mauvais cheval, non, c'était seulement un fayot de première. Le genre de larves qui ont toujours le chic pour faire leur apparition le jour où on ne se sent pas en forme, et ça vous enfonce encore plus dans le marasme.

— Ou alors je la boucle, c'est à toi de voir.

Elliott poussa un soupir et Lance sut que c'était une reddition sans conditions. Il se mit alors à déverser un torrent de questions.

— Où tu l'as trouvé, Elliott? Tu sais d'où il vient?

De quelle race il est? Il appartient à notre système solaire? Est-ce qu'il parle? Il a des pouvoirs surnaturels?

Michael l'interrompit.

– Tu dis quoi que ce soit à qui que ce soit et E.T. te désintègre. Tu iras faire graviter tes électrons dans le vide intégral.

– Il peut vraiment faire ça? Réellement! Il l'a déjà fait à quelqu'un?

Elliott se dirigea vers la porte du cagibi, l'ouvrit et entra dans le réduit.

Le vénérable phénomène ouvrait des yeux effarés, car il avait entendu la voix familière de Lance, et cette fois-ci son sonar mental ne le trompait pas : cette présence était une menace.

– C'est un lepte, dit Elliott, mais il ne te fera pas de mal. Je te le promets.

E.T. se cacha le visage et secoua la tête. Ah! Halloween était bien fini. Sa physionomie n'était vraiment pas une chose à montrer aux gens, même comme ça en passant.

Il fut sauvé par le gong – la sonnette de l'entrée. C'était comme si un fil chauffé à blanc s'était mis à vibrer dans les nerfs de Michael et d'Elliott. Elliott se rencogna dans la penderie, juste à temps pour voir Michael se faufiler dans le couloir.

Le frère aîné avançait à pas feutrés sur la moquette du couloir. Arrivé sur le palier, il s'arrêta pour prendre une vue cavalière de la péripétie, en contrebas.

Ladite péripétie avait tiré Mary de derrière le sofa qu'elle avait déplacé pour balayer car elle avait découvert là une allègre provision de boules de papier mâché et un magazine qui semblait exclusivement consacré aux pratiques sexuelles en vigueur chez les nymphes de l'espace.

– Mes bébés, mes innocents petits garçons perdus!

Elle était accablée.

On continuait à sonner avec insistance. Elle alla ouvrir. Elle savait parfaitement maintenant que ça ne serait sûrement pas le grand brun du genre ravageur.

Elle ouvrit.

Il était grand, brun et ravageur. Mais... il était fou.

– Nous voulons vérifier des rumeurs d'objets volants non identifiés...

Elle ne pouvait détacher son regard du trousseau de clefs qui pendait à sa ceinture. A coup sûr, il devait avoir un très grand nombre de portes à ouvrir dans la vie, quel qu'il fût; et après tout peu importait qui il était.

Il lui montra ce qui à l'entendre était une plaque de la police fédérale. Mais il aurait très bien pu l'avoir trouvée dans une boîte de corn-flakes, ou quelque chose comme ça.

– Je suis désolée, balbutia-t-elle, mais je ne comprends pas.

– Pas très loin d'ici, un OVNI s'est posé. Nous avons d'excellentes raisons de croire qu'un des membres de l'équipage s'est égaré.

– Vous voulez sûrement plaisanter.

– Je vous jure bien (il ne la quittait pas des yeux) que je n'ai aucune envie de plaisanter.

Elle lui rendit son regard, légèrement interrogative.

Voilà, elle en était là, divorcée avec trois enfants à nourrir, solitaire et frustrée; et elle pensait même prendre des leçons de danse acrobatique quand, un jour, sonna à la porte un homme séduisant, probablement célibataire et qui cherchait des soucoupes volantes.

Elle vacilla imperceptiblement et tripota son tablier.

– Non, je n'ai rien vu.

Il la regarda fixement, puis ses yeux inspectèrent les lieux. Il avait l'air d'en connaître déjà un bout sur cette maison et sur elle, comme s'il n'était là que pour mettre la dernière touche à un plan déjà entièrement élaboré. De toute façon, s'il essayait de passer le seuil, elle lui défoncerait le crâne avec le rouleau à poussière... puis elle le soignerait et le rendrait à la vie.

Mais maintenant, voilà qu'il s'excusait de l'avoir dérangée et redescendait les marches du perron. Elle le regarda partir en se disant que peut-être il avait tout simplement lu trop de bandes dessinées dans son enfance. Ou alors il avait peut-être fait une mauvaise chute?

Puis elle remarqua une voiture luisante, style voiture fédérale, qui longeait le trottoir. Le chauffeur lui fit une sorte de salut et l'homme rejoignit sur le siège arrière d'autres hommes assis là.

Auraient-ils tous fait une mauvaise chute?

Elle abandonna sa faction et reprit son duo interrompu avec le rouleau à poussière. Elle l'avait peut-être mal jugé. C'était peut-être quelqu'un de très sérieux, avec une vraie mission.

Ouais, sûr! Et il y avait un petit homme vert dans le placard de l'entrée.

Elle l'ouvrit précisément et se mit à ranger les caoutchoucs, les manteaux, les chapeaux et les gants en désordre. Le parapluie n'était toujours pas revenu. C'étaient Michael et Elliott qui l'avaient pris, elle le savait. Tout ce qu'elle pouvait espérer c'est qu'ils n'en aient pas fait un usage blâmable.

Michael était retourné en catimini dans la chambre d'Elliott.

– C'est une enquête de police. Il a montré son badge à maman. Il a dit qu'il y avait des OVNI.

Lance bondit, comme mû par un ressort.

– Tu as vu un OVNI? Tu as une veine insensée!

Elliott le fit taire.

– Elle lui a dit quelque chose?

– Non.

– Est-ce qu'il sait quelque chose à propos de l'émetteur?

Lance bondit à nouveau.

– Voilà ce que c'est! Un émetteur! Est-ce que c'est lui qui l'a apporté d'un autre monde? C'est comme une vraie machine futuriste?

– Il l'a fait avec des pinces à cheveux.

Des pinces à cheveux? Lance rumina un instant, puis reprit son pilonnage, typiquement leptoïde :

– Est-ce qu'il tente de rejoindre sa planète? Oh, Dieu, Elliott, ils vont débarquer? Où? Quand? (Puis, sentant qu'il perdait du terrain, il renouvela sa menace :) Montre-moi immédiatement l'E.T. ou je cours après le type au badge. Et c'est sérieux, je le ferai.

– Tu sais que tu me pompes l'air?

– Je ne peux pas m'en empêcher.

Elliott, sachant qu'il faudrait en passer par là, ouvrit la porte du cagibi.

Le monstre s'avança dans la pièce, calme, perdu une fois de plus dans ses pensées, et mâchonnant un biscuit Oreo. Il regarda le lepte.

Lance avait les bras ballants. Le sang avait complètement reflué de ses joues, le laissant de la couleur du fromage blanc américain dans sa feuille de plastique. Une variété infinie de *bip, bip, bip* retentissait dans son cerveau, tout à fait comme l'autre soir pendant la course à vélo au clair de lune.

– Je pourrais mourir aujourd'hui, murmura-t-il, j'irais sûrement au paradis.

– Oui, ça se pourrait, dit Michael, mais maintenant tu vas prêter serment par le sang.

– Tout ce que tu voudras, dit Lance.

Il était incapable d'accorder la moindre attention à la présence de Michael, d'Elliott ou de qui que ce soit au monde. Il s'en fichait complètement. Devant lui se tenait l'être le plus fantastique qui eût jamais existé.

– J'ai rêvé... de vous... toute ma vie, lui dit Lance d'une voix pleine de douceur.

Michael saisit Lance par le poignet.

– Répète après moi : « Je jure que je ne raconterai jamais à âme qui vive ce que je viens de voir. »

Michael se fit une entaille dans le doigt avec son couteau de poche, puis entailla le doigt de Lance, tandis que celui-ci murmurait : « Je le jure. »

Le sang coula des deux blessures que Michael pressa l'une contre l'autre.

Le navigateur des millénaires, témoin perplexe de l'étrange rite, leva son doigt qui s'éclaira d'une lumière rose vif.

– Non, dit Elliott, ne fais pas ça.

Mais trop tard! La lumière rose rayonna, toucha Michael, puis Lance. Le sang s'arrêta de couler. La peau se referma et les blessures cicatrisèrent sans laisser de trace.

Tout le monde l'appelait Keys, dans son équipe. Clefs. Il avait bien un nom, un vrai, mais ses clefs étaient sa signature : les clefs d'un entrepôt apparemment tout à fait ordinaire qui comprenait un nombre absolument effarant de pièces dont il possédait également toutes les clefs.

Il se tenait justement dans l'une de ces pièces, face à une carte des opérations sur laquelle on avait tracé des cercles concentriques se rétrécissant toujours davantage vers un point central.

Il s'adressa à son assistant et dit d'une voix tranquille :

— L'autre jour, j'ai entendu des fanatiques d'une secte à la radio. Ils parlaient de notre affaire et prétendaient que le Vaisseau était une émanation de Satan.

L'assistant but une gorgée de café noir et s'absorba dans la lecture de la note de service qui était devant lui. C'était une liste de noms, assortis pour la plupart de l'énoncé de titres scientifiques importants : docteurs, biologistes, spécialistes de laboratoires de toutes sortes.

— Vous le savez, non ? Une fois qu'on aura mis tout ce monde-là sur le coup, vos chances de passer pour un idiot vont croître à une vitesse exponentielle.

— Il n'est que temps de les mettre sur le coup, dit Keys, le regard fixé sur le point de la carte qui désignait la maison d'Elliott.

Son assistant leva les yeux.

— Mais si tout cela n'était qu'une invention des enfants ? Supposez que tout ce que nous avons enregistré sur le détecteur acoustique ne soit qu'un jeu ?

– Le Vaisseau a atterri ici. (Keys montra un des cercles à la périphérie de la carte. Son doigt revint vers les cercles internes.) Nous avons intercepté une conversation à propos d'un membre de l'équipage resté en rade, ici. (Il mit le doigt sur la tache qui signalait la maison d'Elliott.) Les deux points sont trop proches pour qu'il puisse y avoir coïncidence.

Keys tendit le bras et pressa une touche de magnétophone derrière lui. La voix d'Elliott se fit entendre :

– *Loin dans l'espace, Michael, d'un lieu que nous ne pouvons même pas commencer à concevoir. Il faut l'aider.*

Keys pressa la touche *stop* et le silence retomba dans la salle des opérations. Il avait été frappé par le caractère imposant du Vaisseau, la nuit de l'atterrissage, il avait vu l'incroyable descente sur son écran de visualisation : un stupéfiant bloc-programme venu des étoiles, et replongeant derrière l'horizon. La performance du Vaisseau était conforme au scénario désormais bien connu de son Département et correspondait aux témoignages recueillis en d'autres occasions. Seulement cette fois-ci, le Vaisseau avait été pris de court, semblait-il.

L'assistant se leva et alla le rejoindre devant la carte murale.

– Bon, dit-il en tapotant de son doigt la note de service, il y a là tous les gens que vous voulez. Un vrai banquet de prix Nobel.

– Battez le rappel.

– Vous voulez m'écouter une seconde, avant

d'alerter le ban et l'arrière-ban de la communauté scientifique mondiale? (L'assistant se tourna vers la carte.) A supposer qu'un membre de l'équipage soit resté à la traîne, il semble peu plausible qu'il soit allé se cacher chez quelqu'un.

– Pourquoi?

– Mais parce que c'est un être d'un autre monde, un être venu d'ailleurs. Il s'est sûrement comporté en guérillero, et il a pris le maquis dans les collines. (L'assistant désigna à nouveau le terrain où selon lui l'hypothétique étranger se cachait.) Vous pensez qu'ils ne sont pas entraînés à la survie? Vous pensez que l'intelligence qui gouverne le Vaisseau n'a pas prévu une éventualité de cette sorte?

– Nous les avons coincés dans une sale position, en tout cas, dit Keys tranquillement.

– Peut-être. Mais si vous étiez un être venu d'ailleurs, est-ce que vous iriez frapper aux portes de tout le quartier?

– Il est dans cette maison, dit Keys.

– Il faudrait d'abord en être sûr, avant d'alerter qui que ce soit. (L'assistant tapota à nouveau la note de service.) Il va y avoir un cirque pas possible une fois que tous ces gens seront avertis. Et si vous vous êtes trompé, et qu'il n'y ait rien dans cette maison à part une flopée de mômes débiles branchés sur les Envahisseurs de l'Espace, vous vous retrouverez illico au chômage... Parce que vous serez le monsieur qui a fait dépenser au gouvernement environ dix millions de dollars pour une chasse au dahu. Rappelez-vous que le gouvernement fédéral rogne tous les budgets en ce moment. Et notre action se situe aux franges...

Keys montra la note de service:

– Battez le rappel, je vous dis.

L'assistant soupira.

– Si vous vous êtes trompé, nous pouvons tous les deux dire adieu à notre carrière. Nous occuperons le restant de nos jours à rassembler des preuves pour les procès en divorce. Du genre « privés » minables passant leurs journées dans des motels pourris.

Il tourna les talons, mais se ravisa, et montra la forêt et les collines à la périphérie de la carte.

– Si votre homme est quelque part, c'est là-haut dans ces collines, menant tant bien que mal une existence de paria.

– Robinson Crusoé, je suppose.

– Exactement. En tout cas, il n'est certainement pas dans une cuisine en train de boire un milk-shake.

E.T. était assis dans la cuisine, sirotant son milk-shake avec une paille. La paille, pensait-il, était l'une des plus belles inventions de la terre. C'était tellement plus agréable de boire ainsi.

– Tu aimes ça, E.T.? demanda Elliott, assis en face de lui.

L'homme venu d'ailleurs hocha la tête, tandis que le délicieux liquide gargouillait dans son verre.

On convoqua les gens de la liste : un groupe de spécialistes choisis à titre individuel. Chacun d'eux avait fait antérieurement l'objet d'une enquête et avait été dédouané. Et on leur avait demandé de faire partie d'une équipe de réservistes d'un genre très spécial. Ils avaient donné leur accord, les uns avec un peu d'amusement, les autres avec mépris, mais tous sans enthousiasme. Ils ne pensaient pas une minute que leurs compétences d'experts pourraient vraiment être requises un jour. Aussi ce fut avec une énorme surprise qu'ils entendirent à l'autre bout du fil une voix venue de Dieu sait où, et ce fut dans un profond silence que chacun reposa le récepteur, en ouvrant de grands yeux. Qui était fou? Eux ou le gouvernement?

11

Dissimulé près du terrain d'atterrissage, l'émetteur pulsait son message permanent, pulsait, pulsait, pulsait dans l'espace.

L'appareil n'avait pas été breveté, il n'avait pas reçu de licence d'exploitation et il ressemblait tout à fait à quelque chose que vous auriez pu trouver dans une décharge publique. Mais à mesure qu'Elliott approchait, il pouvait percevoir le courant d'énergie qui animait la machine, et il sut que ce tas de pièces détachées avait de la classe.

La nuit était tombée, il était seul avec la chose. La scie cliquetait faiblement dans l'herbe tel un criquet appelant ses congénères.

Elliott se coucha dans l'herbe et se mit à regarder le ciel étoilé. Il resta ainsi longtemps, petit punk à la tête pleine de tout un tas de camelote, mais qui en était venu à aimer la lumière des étoiles. De temps à autre, la lune semblait s'ouvrir dans un grand déploiement de lumière dorée et un voile chatoyant agitait ses plis entre les étoiles. Une voix douce murmurait des mots inconnus, à moins que ce ne fût seulement le vent.

Il écoutait le bruit de l'émetteur et, bien qu'inintelligibles, ces signaux codés pénétraient son esprit; posé sur sa pointe, le parapluie miroitait au clair de lune et rayonnait jusqu'au tréfonds de son être.

Dans sa tête, il pouvait à distance entendre Mary se demander où il était passé et ce qu'il fabriquait encore dehors à cette heure-ci; il coupa le contact, tout simplement, et s'étira dans l'herbe. Les étoiles tissaient leurs voiles de lumière, subtiles traînées de beauté qui allaient dérivant et le plongeaient dans une sorte d'hypnose. Il resta couché là pendant des heures et des heures, en proie à des forces auxquelles il ne pouvait résister, des forces qu'il était censé n'avoir jamais rencontrées, et son secret, personne sur terre ne devait le partager.

Elliott frissonna, non pas de froid, mais sous l'emprise des sentiments qui l'envahissaient. La solitude cosmique le pénétrait maintenant jusqu'à la moelle des os.

Il tomba dans l'herbe en gémissant, écrasé par le fardeau trop lourd, car les Terriens ne sont pas bâtis pour cette ardente faim d'étoiles.

C'est cela que la voix chuchotait, couvrant des horizons toujours plus vastes à son esprit adolescent.

Le bureau de Keys était placardé de photos; les légendes réservaient le *copyright* des clichés à l'Armée de l'Air. Certaines vues étaient de simples brouillards lumineux, magnifiques traînées se déplaçant horizontalement ou verticalement dans le ciel. D'autres étaient assez nettes pour qu'on puisse vraiment *y croire*, particulièrement quand on pensait que les photographes étaient des pilotes de reconnaissance, qui sont des gens en général peu portés à l'hallucination et qui n'ont qu'une latitude très réduite pour opérer des truquages en chambre noire.

Sur le bureau de Keys, il y avait un moulage des empreintes d'E.T. prélevées sur le sol meuble du terrain d'atterrissage. A côté, il y avait un dossier contenant l'analyse des traces de combustible laissées sur l'aire de déboisement par le Vaisseau.

Pas question donc de penser, par exemple, que Keys était en proie à l'ivresse du clair de lune. Il n'avait rien du rigolo frustré ou du mystificateur professionnel. C'était un agent fédéral relativement bien payé et, pour l'instant, il était au téléphone en conversation avec un personnage bien au-dessus de lui dans la hiérarchie. Il s'employait à lui donner toutes les assurances : les agents du service qu'il dirigeait n'auraient pas volé leurs émoluments...

– Ça prendra encore quelques jours... non, le délai est inévitable... Nous suivons les directives initiales selon lesquelles le spécimen doit pouvoir bénéficier d'une unité médicale complète de surveillance, d'assistance et de survie.

Keys écouta, opina, tambourina et donna encore d'autres assurances :

– La zone est quadrillée et personne, rien, ne peut nous échapper... oui, très bien.

– Encore cramponnés à leur planète, les Terriens ne sont pas assez forts pour supporter l'amour de l'Univers, disait le chuchotement dont l'écho se répercutait à travers d'infinis corridors.

Elliott fixa la voûte étoilée et sembla émerger

de lui-même sous les doux projecteurs dont les secrets – heureusement – étaient ignorés des humains. Il roula dans l'herbe, le corps bourdonnant de fraîches flammes stellaires. Le message pénétrait tout son être – c'était un message destiné à quelqu'un de bien plus fort que lui, quelqu'un qui serait psychiquement capable d'aimer une étoile et d'en être aimé en retour, et qui ne serait pas submergé par ce terrible courant d'énergies.

La musique des sphères le terrassait, s'emparait de sa chétive petite âme de Terrien; il était gagné par l'extase cosmique contre laquelle les Terriens sont habituellement prémunis de naissance.

Il réprima un sanglot, se leva d'un bond, tituba jusqu'à son vélo. Il ne pouvait plus supporter tout cela, il ne pouvait plus affronter toutes ces images de l'espace-temps qui se mettaient à cascader en lui, ni ces perspectives de l'intolérable espace courbe.

Il pédalait, et ses réflecteurs tournoyaient comme des petites lunes à ses pieds, encore et encore, encore et encore. Il bondissait sur les cahots de l'allée déboisée, secoué des pieds à la tête.

Il déposa le récepteur. Il faisait nuit, le calme avant la tempête. Il sirotait son café. S'il s'était trompé, si le filet se refermait sur des... courants d'air, il perdrait définitivement sa place. Mais ç'aurait tout de même été une ou deux heures de pure gloire.

La porte s'ouvrit et son adjoint entra.

– L'unité de quarantaine et de décontamination

est énorme. Toute la maison sera isolée et pourvue d'un écran d'étanchéité.

– Et alors?

– Et alors, vous avez déjà vu une tente en plastique de la taille d'une maison? Avec plein de tuyaux qui dépassent? Nous allons être le spectacle le plus étrange des cinq comtés alentour et un million de gens environ vont affluer. Ça, je vous en fiche mon billet.

– Ils ne pourront pas passer.

L'adjoint de Keys jeta un coup d'œil sur le moulage des empreintes d'E.T.

– Pourquoi ne nous contentons-nous pas de nous infiltrer dans la maison, de nous emparer du spationaute et puis de disparaître? Une opération discrète, sans barouf...

– J'aimerais mieux ça, dit Keys, mais ce n'est absolument pas ce qu'ils souhaitent. (Il montra le téléphone.)

– Naturellement, parce que si le spationaute est ici, ils voudront profiter de la publicité. Mais s'il n'y est pas, et si nous mettons le quartier en révolution avec le genre de matériel que vous avez ici (ses doigts pianotaient sur une autre liasse de papiers), nous allons traumatiser beaucoup de gens... qui nous poursuivront en dommages et intérêts. Gardez bien ça à l'esprit.

L'adjoint tourna les talons et quitta la pièce.

Keys gardait bien ça en tête, mais seulement dans un tout petit coin au fond de son esprit. En fait, il était sûr que le naufragé de l'espace était là. Il alluma une cigarette, souffla la fumée au plafond et jeta l'allumette éteinte dans le moulage en plâtre des empreintes d'E.T.

Les voitures officielles roulaient. Alors, certain entrepôt ouvrit ses portes et des hommes en uniforme s'affairèrent à manœuvrer des caisses de matériel dans les profondeurs du bâtiment. L'intérieur de l'entrepôt commençait vraiment à ressembler à un hôpital militaire.

E.T. lui ouvrit la porte et Elliott se laissa tomber sur les coussins. Il avait les yeux gonflés et d'improprononçables syllabes se pressaient sur ses lèvres tremblantes. Il resta là, assis, sanglotant de tout son corps, tandis que le vénérable convive le regardait d'un air navré. L'être des lointains espaces lui toucha le front. Les galaxies relâchèrent leur étau et les radiations cosmiques qui s'étaient concentrées dans la tête d'Elliott refluèrent immédiatement en turbulences pressées. Elles firent retour à leur destination première. Elliott s'écroula et poussa un soupir qui venait du plus profond de son être. Quelques instants plus tard, il dormait, protégé par un cocon à l'épreuve du mal des étoiles.

Au spectacle de l'enfant endormi, un sentiment doux-amer submergea E.T., une sorte de douleur joyeuse inconnue de lui : alors il sut qu'il aimait cet enfant.

Moi, son guide et son protecteur, je l'ai guidé – mais où ? Au sein de la sombre démence de la nuit.

Et je lui ai appris quoi ? A voler dans les quincailleries.

Mais maintenant, à cause de toi, Elliott – il effleura à nouveau le front de l'enfant – mon cœur brille d'une nouvelle lumière. Et c'est toi maintenant qui es mon maître, mon guide et mon protecteur.

L'Univers a-t-il jamais connu un enfant plus désintéressé, plus serviable ? Puissent toutes les étoiles te prodiguer désormais un savoir simple, sans souffrance, qui puisse vraiment te servir et être compris de toi.

Il fit un signe au flot de subtiles clartés venues des astres, il lui imprima de douces courbes qui vinrent s'envelopper autour de la forme endormie de l'enfant.

Un reniflement dans l'embrasure de la porte signala que le chien Harvey était là, prêt pour son nocturne périple en compagnie d' E.T.

L'extra-terrestre lui ouvrit et Harvey entra un peu honteux, un peu de biais, pas encore parfaitement convaincu d'être vraiment en sécurité. Il flaira Elliott endormi, fit plusieurs fois le tour d'un coussin et finit par s'asseoir face à E.T.

E.T. le regardait et le chien lui rendit son regard, un peu sournoisement, mais les regards restaient en prise. Insensiblement, la langue d'Harvey sortit, et une oreille se recourba tandis qu'au fond de son esprit canin, le Gros Os Cosmique apparaissait, flottant dans la soupe de l'espace. Il se pourlécha les babines et se mit à geindre.

E.T. lui enseigna par lumières télépulsées, de psychisme à psychisme, tout ce qu'un chien doit savoir quand il hurle à la lune.

12

Mary était devant l'armoire de classement, remuant un tas de feuillets. Il n'était pourtant que 11 heures, mais elle avait déjà un mal aux pieds terrible. Elle regarda la pile de papiers encore à classer. Comme elle aurait aimé les classer dans la gaine de ventilation, quelle belle tempête ça aurait fait – toute palpitante!

– Mary, quand vous en aurez l'occasion, voudriez-vous faire un saut au Département des ventes pour leur porter ces propositions?

Quand j'en aurai l'occasion? Elle regarda son employeur.

Un con, un tyran, un sadique et un idiot.

S'il avait été célibataire, elle l'aurait épousé. Comme ça, elle aurait pu s'asseoir.

– Oui, monsieur Crowder. Dès que j'aurai un moment.

– Et pendant que vous y serez, pourriez-vous...

– Mais oui, avec plaisir.

– Mais je ne vous ai même pas dit de quoi il s'agissait!

Un froncement de perplexité barrait le front de Crowder.

– Je suis désolée, monsieur, mais le meuble à dossiers a failli dégringoler. Ça arrive de temps en temps.

– Ah bon?

– Si on ouvre tous les tiroirs à la fois.

Crowder, provisoirement sidéré, restait là en arrêt à contempler le meuble. Elle se demandait souvent comment, sans qualification d'aucune sorte, il avait pu s'élever jusqu'à la situation qu'il occupait aujourd'hui dans la corporation; mais plus souvent encore, elle se demandait comment *elle*, elle pourrait continuer à tenir sa position sans devenir folle. Elle pensait partir. Peut-être allait-elle donner sa démission aujourd'hui même et aller travailler dans une station-service. Les mécaniciens avaient toujours l'air d'avoir tellement le sens de l'humour, surtout quand ils travaillaient sur sa voiture.

– Quand vous ouvrez tous les tiroirs à la fois, dites-vous?

Crowder examinait le meuble.

– Je ne vous conseillerais pas d'essayer.

– Mais il faudrait le fixer au mur, non?

– Ce n'est pas impossible.

Ce qui serait plus intéressant, pensait Mary, ce serait qu'on fixe au mur M. Crowder soi-même. Et qu'on s'en serve comme tableau de planning.

– Il faut que j'aille prévenir le service d'entretien.

Crowder quitta la pièce. Il en avait sûrement jusqu'à l'heure du déjeuner. Heure que Mary passa sur un banc du parc; à manger un sandwich aux algues et à se masser le cou-de-pied. A côté d'elle, sur le banc, une vieille femme était en conversation animée avec un interlocuteur qui avait élu domicile au fond de son sac à provisions.

Mary la regarda : de toute évidence elle avait dû être employée au classement.

Je finirai comme elle. Entretenant une relation des plus enrichissantes avec un sac en papier.

Elle étira ses jambes et poussa un soupir. Si seulement Monsieur Bien pouvait faire son apparition dans le secteur avec sa carte de crédit Visa.

Elle ferma les yeux pour tenter de l'imaginer plus à son aise.

Mais seule lui apparut l'image d'un homme pas plus grand qu'un porte-parapluies, qui venait à sa rencontre en se dandinant, un sucre d'orge à la main.

– Vous voyagez pour vos affaires? demanda le compagnon de route, à neuf mille mètres d'altitude.

– Oui, dit le microbiologiste. Je vais à un congrès.

Dans les sous-sols de l'école, Elliott ouvrit son casier et y jeta ses livres pêle-mêle. Les papiers tombaient de tous côtés et les notes de cours étaient toutes mélangées; il y en avait partout, le vieux désordre, quoi. Il regarda le magma avec découragement; il n'était pas vraiment opposé à faire un effort, mais le travail de classe n'avait rien à voir avec la clarté qui tombe des étoiles. Le travail scolaire était merdique. Il referma la porte du casier avec un *bang* retentissant. Les murs gris de l'école étaient aussi accueillants que ceux d'une prison. Et Lance, Lepte de l'Année, venait à sa rencontre.

Il avait apporté le miroir « Homme de l'Année » du magazine *Time*. Il le plaça devant le visage d'Elliott.

– Elu Garçon de l'Année, l'ami des présidents, des rois et... d'E.T.! (Maintenant, il tenait le miroir de façon à inclure leurs deux visages :) Bien sûr, il y a quelqu'un d'autre là-dessus avec vous. Nous savons qui, non? Quelqu'un avec une peau rose et des yeux bleus? Vous ne voyez pas?

Ce discours de mauvais goût, si typique d'un lepte garanti d'origine, eut l'effet attendu : Elliott se hérissa. Avec un ardent désir d'envoyer son pied au cul à Lance.

Lance sourit à l'idée qu'il était enfin tout près d'arriver à quelque chose dans la vie. Avec sa photo sur la couverture de *Time* maintenant, il allait passer directement de la classe de cinquième au conseil du gouvernement pour le programme aérospatial, en tant que spécialiste des questions de communication avec les extra-terrestres. N'avait-il pas la tête constamment emplie de signaux de cette nature ?

– Il me parle sans arrêt, Elliott. Il *m'aime*.

– Je me demande bien pourquoi.

– Il sent que je peux lui être utile, Elliott.

Lance saisit Elliott par la manche.

– Mais tu te rends compte qu'en ce moment nous sommes les gens les plus importants de toute l'école ? Nous sommes branchés !

La loucherie de Lance s'accentua dangereusement. Il était maintenant aussi strabique qu'un écureuil volant égaré en pleine lumière.

Elliott dut se rendre à l'évidence : la petite lumière d'E.T. brillait dans les yeux glauques et chassieux de Lance. Il ne pouvait plus maintenant donner le coup de pied au cul à Lance comme il aurait tant aimé le faire.

– Ouais, d'accord, Lance, c'est vrai. On est branchés. Bon, dis donc, il faut que je m'en aille maintenant.

Ils se séparèrent. Leurs deux têtes étaient toutes bourdonnantes de messages, mais celle d'Elliott bourdonnait encore plus, et le bourdonnement n'était pas des plus heureux. L'onde de solitude cosmique l'avait à nouveau touché, traversant le mur de l'école.

En retrouver la source, ce n'était pas bien difficile : il n'y a qu'à faire le mur, traverser la ville, tourner à droite, monter la rue qui mène aux collines jusqu'au petit groupe de maisons et entrer dans l'une d'elles. Au premier étage, dans le cagibi, un navigateur spatial est assis, son géranium près de lui, et il sombre dans un désespoir profond.

– Extra-terrestre..., grommela le microbiologiste qu'on escortait vers la salle de conférences. (Il se retourna vers celui de ses collègues qui marchait juste derrière lui.) Maintenant je me mords les doigts de m'être engagé sur cette satanée liste.

– Oh! répondit son éminent collègue, moi, de toute façon, j'avais besoin de vacances.

– Le gouvernement a vraiment une technique diabolique pour faire perdre leur temps aux gens.

La salle du briefing était déjà bondée, et presque toutes les places à la table étaient occupées. La fumée des cigarettes s'élevait en volutes bleues au plafond. Scientifiques, militaires et médecins étaient assis là, toutes disciplines mêlées, et le brouhaha des voix emplissait la pièce.

Un léger cliquetis annonça l'entrée du chef de l'équipe qui alla occuper la place laissée vide au bout de la table. Le silence se fit presque immédiatement.

– Mesdames et messieurs, je ne vous retiendrai pas longtemps. Je sais que vous êtes fatigués du voyage, et demain il faudra que vous vous leviez avant l'aube. Le système de quarantaine que nous utilisons est très sophistiqué et le temps des préliminaires va être très long...

185

Quel genre de type était donc Keys, l'homme tranquille au centre d'un cyclone qui prenait insensiblement de la vitesse?

Enfant, il avait fait un rêve étrange. Un vaisseau spatial se posait sur Terre et, seul entre tous, il était initié aux connaissances ultra-sophistiquées des occupants de la Nef – avec pour mission de retransmettre ce savoir venu d'ailleurs à toute l'humanité.

Les rêves d'enfance se réalisent souvent. Et ce rêve ne cessa d'être le moteur puissant qui guidait Keys dans son ascension. Il se vit confier des théâtres d'opérations toujours plus étranges, jusqu'à avoir la mission de rechercher le plus obscur des objets – une clarté éphémère dans le ciel, une traînée de vapeur à l'horizon, une forme troublante sur un écran de radar.

Keys devint le familier des déserts et des montagnes. Il avait passé de longs mois dans des régions désolées, seul sous le ciel étoilé car c'était là-haut que voguait l'objet de sa quête, à des distances dont l'idée même pouvait rendre fou.

En fin limier, Keys avait fini par repérer une constante dans le rythme des déplacements de sa cible. Certes, par rapport à elle, son infériorité était manifeste : pendant que son gibier était aux commandes d'une machine d'une infinie puissance, il se déplaçait en jeep et tandis qu'au-dessus de lui le Vaisseau évoluait avec une grâce surnaturelle, il devait se contenter de la technologie terrienne. Mais la force de l'habitude semble être une loi universelle et Keys découvrit que le capitaine céleste s'y soumettait lui aussi, puisque le rythme de ses voyages avait à coup sûr quelque chose à voir avec le cycle de la végétation.

Insensiblement Keys prit conscience du fait suivant, bien particulier : le grand Vaisseau apparaissait au moment de la floraison.

Keys, lui aussi, avait suivi le rythme des floraisons – et le résultat était là : au mur s'étalait une photographie en gros plan du Vaisseau, décollant à plein gaz des collines, juste derrière la maison d'Elliott.

Derrière la porte du bureau, l'entrepôt bourdonnait d'activité tandis que spécialistes, techniciens et équipes de secours continuaient d'affluer. Le piège se refermait lentement, trop lentement au gré de Keys, mais il fallait que chaque élément soit mis très soigneusement en place pour éliminer tout risque. Le trophée devait être vivant et intact.

Le bâtiment disposait de toutes les unités de réanimation, d'assistance et de diététique imaginables : on ne voulait pas d'un spationaute mort. Encore une fois, il fallait ramener le trophée vivant et Keys avait fait pour cela tout ce qui était en son pouvoir. Il avait à sa disposition tous les antidotes de tous les traumatismes, de tous les chocs dont l'extra-terrestre aurait pu souffrir pendant son séjour prolongé dans un environnement étranger. Tout ce que la science médicale avait pu créer, Keys l'avait dans son entrepôt. Tout ce que la terre avait à offrir, il pourrait l'offrir au naufragé de l'équipage venu d'ailleurs.

Keys n'avait pas pensé une minute que l'excès même de sophistication scientifique pouvait être dangereux, et qu'un petit homme de l'espace qui prospérait parfaitement à coups de M & M, n'avait aucun besoin d'être alimenté par voie intraveineuse et n'avait que faire de transplantation d'organes.

Mais c'était le seul genre de piège que Keys fût capable de concevoir : un réseau gigantesque avec, à chaque maille, un expert d'une spécialité différente. Le système pris dans son ensemble eût été capable de rendre la vie à un mastodonte congelé, si cela avait été nécessaire, de réanimer n'importe quel organe, de rajeunir n'importe quelle cellule, et de sustenter n'importe quoi venu de n'importe quelle atmosphère concevable dans l'univers.

« Arrangez-vous. Je ne veux pas d'un spationaute mort », telle était la consigne qui parvenait en permanence aux gens de son service et aux sommités qu'il avait réunies.

Il avait déjà rassemblé une quantité ahurissante de matériel; et si les fils électriques qui pendouillaient en attente d'être branchés avaient été vraiment tous connectés au corps d' E.T., il aurait eu tout à fait l'air d'un standard téléphonique... Et tous, dans le bâtiment, attendaient désespérément le moment de se brancher sur ce phénomène dont ils avaient tant entendu parler. Qui ne l'aurait ardemment désiré ?

Le gigantesque filet de Keys était électrifié et luminescent – et prêt à venir enserrer dans ses mailles l'être phénoménal haut d'un mètre qui pour l'instant se cachait au fond d'un placard. Et, d'une façon ou d'une autre, la phénoménale créature savait.

Le géranium s'était complètement affaissé, tout comme E.T. qui baissait la tête, ses mains reposant sur son ventre, telle une paire de calamars morts. Pour l'émetteur, il n'avait plus d'espoir. La machine avait fonctionné pendant des semaines et il n'y avait eu aucun début de réponse de l'espace. Maintenant l'équipage du grand Vaisseau était loin, fonçant à une vitesse infinie dans les profondeurs du cosmos, parti sans espoir de retour.

– Je meurs, Maître, murmurait faiblement le géranium.

Le vieux botaniste ne pouvait malheureusement rien pour lui; la plante avait absorbé ses émotions d'extra-terrestre et là-dessus il n'avait aucun pouvoir. La solitude cosmique le pénétrait jusqu'à la moelle des os.

Il prit appui sur le Muppet, se hissa sur sa tête et regarda par la lucarne. Il dirigea son regard vers le ciel, réglant sa vue sur la distance focale d'un télescope à travers le bleu du ciel, mais il n'y avait aucune trace du Vaisseau, aucune lueur, aucun halo d'énergie, aucune traînée gazeuse. Un avion entra dans le champ de vision, traçant dans le ciel la publicité d'une braderie publique. Deux orangs-outans seraient exposés cet après-midi dans le quartier, pour la plus grande joie des badauds.

Il se détourna. Dans quelque temps, lui aussi on l'exhiberait. Empaillé, traité à la gomme laque, et installé sur une étagère. Peut-être même placerait-on à côté de lui quelques petits biscuits Oreo, vernis, eux aussi, pour montrer de quoi il se nourrissait.

Il ouvrit la porte et fit quelques pas dans la chambre. Il fraya avec accablement son chemin entre les piles de jouets en désordre. Puis, profondément déprimé, il sortit de la chambre.

Il descendit les escaliers, ses pieds de canard clapotant sur la moquette.

Il s'arrêta dans l'entrée, pour mieux entendre la pulsation interne de la maison. Cette maison était un endroit chaotique, dingue, mais il l'aimait.

Comme il aurait souhaité apporter ici la richesse et la réponse aux rêves de chacun, mais tout ce dont il avait été capable, c'était de faire léviter les meubles, et ça servait à quoi? A rendre un peu plus difficile le fait de s'asseoir, c'est tout.

Il avançait dans le vestibule, silhouette pas beaucoup plus grande que le porte-parapluies, comparaison qui lui donnait des complexes, mais quoi, il avait tellement de problèmes plus importants! Au fond, qu'est-ce que ça pouvait bien faire?

Il entra dans la cuisine et ouvrit le Frigidaire.

Voyons, qu'est-ce qu'il y avait à manger aujourd'hui pour un extra-terrestre?

Il éprouva soudain une étrange compulsion à manger du petit-suisse.

— Mouaaaah! dit le fromage blanc.

— Mouaaaah, répondit l'hôte vénérable et il s'en fit un sandwich avec de la moutarde.

Qu'est-ce que je pourrais bien boire avec cette création? se demanda-t-il. Finalement il choisit une bouteille brillante.

Il s'assit à la table de la cuisine, dîna et but.

Sa langue mena une rapide enquête sur les composants du breuvage : orge malté, houblon, et pour additifs : riz et maïs. C'était sûrement tout à fait inoffensif.

Il but jusqu'à la dernière goutte, trouva cela très à son goût et but une deuxième bouteille.

Le soleil éclaboussait la table de la cuisine. Il regarda vers la fenêtre. Elle lui sembla opérer une lente rotation, d'abord à gauche, puis à droite. Une sensation très particulière, vraiment.

Il ouvrit une autre bouteille et versa le breuvage d'un seul coup dans sa gorge, cul sec; le petit glouglou que cela faisait lui plaisait par-dessus tout.

Puis il se leva de sa chaise et découvrit qu'il ne pouvait plus marcher.

Voilà, ça y est, nous y sommes, se dit-il, tandis qu'il tentait de se rattraper au bord de la table. La pesanteur terrestre s'empare de moi. Et maintenant elle me colle au sol.

Ses genoux fléchirent en s'arquant. Il savait que ça arriverait, exactement ainsi, quand le temps en serait venu. Ça y était, la pression atmosphérique était trop forte pour sa charpente. Ses pieds allaient dans tous les sens, il se sentait les chevilles en bouillie. Il heurta le fourneau, rebondit et alla s'écraser contre la porte.

Ses mains fauchaient l'air gauchement. Apparemment, les articulations des poignets étaient également détériorées.

Il entra en titubant dans le living-room, l'estomac traînant plus que jamais sur la moquette, et il semblait encore plus court sur pattes que d'habitude. Il aurait presque souhaité avoir des roues pour soutenir son ventre. Il les imaginait : une de chaque côté, avec des réflecteurs.

Il alluma le poste de télévision.

Reach out, chantait la télé, *reach out and touch someone* (1)...

Le téléphone sonna. Il tendit sa main de pieuvre et souleva le récepteur, comme il l'avait si souvent vu faire. De l'instrument sortit une voix de femme qui ressemblait énormément à celle de Mary, en plus vieux, plus grondeur et quelque peu nunuche.

_____

(1) *Tends la main, et tu toucheras quelqu'un...*

Allô! Mary, ma chérie, je n'ai pas énormément de temps, juste une minute, mais je voulais absolument te donner une recette, je suis sûre qu'elle te plaira beaucoup, et dedans il y a des choses que tu devrais manger bien plus souvent, étant donné le régime complètement déséquilibré que tu fais.

Reach out, chantait la T. V., *reach out and just say* « *hi* »!(1)

– Salut, dit le spationaute ivre.

Elliott? C'est mon tout petit garçon aux yeux d'ange? Qu'est-ce que tu fais à la maison au lieu d'être en classe? Tu es malade? C'est ta grand-mère, chéri.

– Epelle : mécanicien.

Tu devrais être au lit, Elliott. Allez, retourne au lit immédiatement. Dis à maman de me rappeler plus tard.

– Rappeler plus tard.

Ça va aller mieux, trésor. Reste bien au chaud.

La vieille écervelée fit des bruits de baisers dans le récepteur.

Le vieux pot à tabac les lui rendit et remit le téléphone sur ses bases.

Il ouvrit une nouvelle bouteille de bière et s'installa confortablement devant la télé, les pieds en l'air.

Il fredonnait comme n'importe quel poivrot et battait la mesure en frappant ses pieds l'un contre l'autre; il avait complètement oublié que son pulseur télépathique fonctionnait toujours, plein pot. Propulsée par son cerveau embrumé, une petite onde complètement schlass se mit à tanguer dans la pièce, alla cogner contre le mur, et prit son essor vers la ville; de loopings en virages sur l'aile, elle

(1) *Tends la main, et dis seulement* « *salut* »!

atteignit enfin l'école, où elle fit halte un instant, puis chargea.

Elliott était penché sur sa paillasse de travaux pratiques de biologie, quand la petite onde titubante, complètement givrée, l'atteignit.

Le professeur parlait :

– Aujourd'hui vous avez chacun un bocal de verre devant vous. Je vais venir mettre un morceau de coton imbibé d'éther dans chaque bocal; et nous attendrons qu'elle rende le dernier soupir.

Elliott oscilla d'avant en arrière, piqua du nez et posa ses lèvres sur le bord du bocal. Il se mit à faire des bruits tout à fait cosmiques, indescriptibles mais à coup sûr imprégnés d'alcool et tout à fait analogues à ceux que produisait, en ce même moment, à quelques kilomètres de là, l'auguste pilier de bar intersidéral maintenant complètement dans les vapes – borborygmes, clabaudages et bêlements en tout genre.

– S'il vous plaît, dit le professeur, le comédien voudra bien s'imposer silence.

Elliott s'y appliqua, mais les murs lui parurent soudain s'incurver, l'espace de la classe se distordre et lui aussi. Pour se donner une contenance, il regarda la fille assise à côté de lui, une certaine Peggy Jean, qui semblait avoir beaucoup apprécié ses onomatopées l'instant d'avant. Elle esquissa un sourire, et il le lui rendit – il avait l'impression d'avoir les lèvres en Silly Putty, vous savez, ce mastic amusant.

– Bon..., dit le professeur, préparant le coton, l'imbibant d'éther.

Elliott fixa à nouveau le bocal.

La grenouille le regardait elle aussi et, pour la

première fois, Elliott se rendit compte qu'au fond E.T. ressemblait énormément à une grenouille – petit squatter aérospatial abandonné de tous.

– Vous n'allez quand même pas tuer cette pauvre petite chose sans défense, non? dit Elliott.

– Si, dit le professeur.

Pendant ce temps, le petit squatter astronaute regardait un de ces feuilletons sentimentaux de l'après-midi à la télévision. Harvey le chien était entré par sa porte de chien, et il s'était assis à côté d'E.T. dans l'espoir fallacieux que le monstre lui prodiguerait de nouvelles lumières sur les us et coutumes de l'espace-temps – et un bout de sandwich.

Sur l'écran de télévision, le héros à l'eau de rose venait de renverser dans ses bras l'héroïne non moins à l'eau de rose et lui donnait un baiser passionné.

E.T. regarda Harvey.

Harvey poussa un long gémissement.

Le vieux monstre hébété par la boisson tendit le bras, étreignit le corniaud tout crotté et posa un baiser sur son museau.

Elliott se tourna vers Peggy Jean, la renversa sur la paillasse de travaux pratiques et posa un baiser passionné sur ses lèvres.

Le professeur devint fou furieux, non sans raison d'ailleurs, car voilà qu'Elliott s'était mis à courir de bocal en bocal, libérant toutes les prisonnières aux yeux à fleur de tête, qui n'hésitaient pas à immédiatement évacuer les lieux; elles faisaient de grands sauts sur le plancher et filaient par la porte.

– Rédemption! criait Elliott, tout à fait hors de lui, et qui parlait maintenant sur le mode biblique. (Sans doute avait-il capté d'autres bandes de fréquence, appartenant à des canaux de télévision reliés par cable. En tout cas, il courait à travers la classe en criant :) Dehors, vous, démons empoisonnés, au Nom de Dieu!

Conseil que les dernières grenouilles qui s'attardaient encore s'empressèrent de suivre, gagnant l'appui de la fenêtre avec des sauts de catapulte.

Tyler étendit ses longues jambes sous sa table de travaux pratiques et hocha sévèrement la tête. Pour la première fois depuis qu'il connaissait Elliott, il se sentait désolé pour lui; Elliott n'était plus du tout la mesquine petite fouine qu'on avait connue. Il avait changé; maintenant c'était vraiment le bon mec. Sauf qu'il perdait complètement les pédales.

— M'sieur, m'sieur, dit Tyler pour faire diversion, il y a une grenouille qui a sauté dans votre sac de déjeuner.

Le professeur sursauta, attrapa son sac et le secoua; les composants de son sandwich tombèrent dans la solution de formaldéhyde; le jambon et le fromage coulèrent à pic : une vraie conserve instantanée. Mais nulle apparition de grenouille. Au fond de la classe, près de la fenêtre, Greg, très agité, l'écume aux lèvres, aidait la dernière grenouille à faire le saut. D'un bond, elle fut hors d'atteinte; une bulle étincelante, magnifiquement lancée, l'escortait.

Le professeur devint enragé; il traîna Elliott dans le couloir. Steve remit sa casquette et agita les ailes.

— Cette fois, c'est le renvoi! dit-il.

Et il se plongea dans une profonde méditation sur les choses qui arrivent quand on laisse les petites sœurs régenter toute son existence.

Pendant ce temps, le maître incontesté de la folie d'Elliott, complètement ivre, changeait de chaîne à tout bout de champ. E.T., rond comme une queue de pelle, était installé dans un fauteuil du living-room, les pieds dépassant juste du bout du coussin. C'est alors que, pour bien gâcher tout l'après-midi, on annonça la nouvelle : il y avait eu un grave éboulement dans une mine.

« *Le tunnel sud s'est effondré*, disait un des sauveteurs couverts de poussière. *Je pense que tous les hommes ont été remontés, mais ils sont dans un état grave.* »

Pour l'édification du petit monde des spectateurs de l'après-midi, on passa un gros plan des mineurs blessés. De son confortable fauteuil, l'extra-terrestre complètement paf leva un doigt qui s'éclaira peu à peu d'une lumière rose.

Aussitôt les blessés firent sauter leurs pansements. Ils se jetèrent dans les bras les uns des autres, riant, pleurant, gesticulant...

Le spationaute décapsula une bouteille de bière.

Le professeur traînait Elliott dans le corridor. Il en avait jusque-là. L'existence d'un professeur de biologie n'est nullement semée de lys et de roses; les hordes d'adolescents qu'il affrontait quotidiennement avaient fini par lui détraquer les nerfs; pour un peu il se serait volontiers plongé la tête dans l'éther. En tout cas, il aurait adoré plonger celle d'Elliott dans la solution de formaldéhyde. Luttant contre la tentation homicide, il menait Elliott chez le proviseur, espérant vaguement que le proviseur le fouetterait ou le ferait fouetter. Mais naturellement ces choses ne se font plus du tout dans un système d'éducation moderne, et le professeur de biologie, tremblant, brisé, ressortit en titubant du bureau du proviseur. Il savait qu'en dernier ressort les enfants auraient le dessus et qu'il allait finir immolé sur sa propre paillasse de laboratoire, des tortillons dans le nez et le torse zébré d'une grande incision verticale.

Comme il a été indiqué ci-dessus, dans le bureau du proviseur la modération était de règle. Le proviseur, éducateur progressiste s'il en fut, sortit sa pipe de bruyère et entreprit de l'allumer tout en s'efforçant de créer une atmosphère de confiance mutuelle.

– Dis-moi de quoi il s'agit, fiston. C'est du hasch, du sucre, de la fée blanche?

Il éteignit l'allumette et tira quelques bouffées sur sa pipe. Les petits nuages de fumée s'élevèrent.

– Votre génération prend allègrement le chemin de l'enfer. Il faut que tu prennes un peu en main ta propre existence, bon Dieu...

Voilà, c'était parti, et le proviseur cavalait; comme tout un chacun, il jouissait énormément du son de sa propre voix et le fait d'avoir devant lui un auditoire complètement captif – Elliott, en l'occurrence, qui n'osait pas moufeter – le rassurait. Il fustigea l'enfant sous une avalanche de clichés piqués un peu partout, à la télévision, dans les journaux, dans des revues professionnelles assommantes, sans compter les étincelantes platitudes issues de son propre esprit.

– Tu comprends bien, poursuivit-il, que de nos jours, on ne peut compter que sur soi-même; il faut s'en sortir à la force du poignet.

Sa pipe émettait de petites bouffées de satisfaction. Le monde était solide sur ses bases. La jeunesse rebelle allait bientôt se rendre compte que ça ne servait à rien de casser la cabane.

— Tu ne peux pas te battre contre le système, fiston, ça ne te conduira nulle part. Ça n'a aucun sens...

Il pointait sur Elliott le tuyau de la pipe, pour renforcer l'argumentation. Son prédécesseur, un pervers sexuel, avait pris une retraite anticipée après que plusieurs épisodes d'ordre privé qui s'étaient déroulés dans le placard des fournitures scolaires eurent été rendus publics. Alors *lui*, il avait vraiment cassé la cabane. Mais depuis, le bureau du proviseur avait retrouvé sa vitesse de croisière. Une atmosphère sécurisante régnait; tout était désormais prévisible. Les piliers de l'éducation étaient inébranlables, la Terre avait été matée. Le système prévaudrait.

A part qu'Elliott s'était mis à voguer dans les airs au-dessus de son fauteuil.

Bien sûr, E.T. faisait encore des siennes! La petite onde complètement schlass était toujours agissante; elle s'était mise à tournoyer dans le bureau et finalement, comme on pouvait le constater, elle avait entrepris de faire flotter Elliott dans les airs comme un bouchon à la dérive.

Elliott agrippa de toutes ses forces les bras du fauteuil et se força à redescendre. Le proviseur n'avait rien remarqué. Il pensait que l'enfant se tortillait, mal à l'aise.

— Cette approche de la vie que vous avez, toi et tes copains, c'est celle des contes de fées. Elle vous fait perdre un temps précieux. Tu vois ce que je veux dire. (Captivé par le débit monotone de son propre sermon, il continuait à blablater; il avait complètement oublié la présence d'Elliott.) Le monde est une quantité finie, fiston. Cesse de rêver à la lune. Cesse de rêver tout éveillé à des choses qui n'existent pas. C'est ça, je crois, la racine de tous tes problèmes.

En fait, la racine des problèmes d'Elliott c'était surtout d'avoir été déraciné... de la terre ferme, et d'être en apesanteur. De nouveau, la petite onde complètement schlass était sous ses fesses et le portait malicieusement dans les airs – avec une force telle qu'elle fit lâcher prise à Elliott qui s'agrippait encore au fauteuil. Il voguait maintenant au plafond et le proviseur n'avait toujours rien remarqué.

Il nettoyait ses lunettes et il présentait les verres l'un après l'autre à la lumière, avec un regard sagace, tout en débitant son discours.

– Une conduite prévisible, mon garçon... Te rends-tu compte des pas de géant qui ont été faits du jour où l'humanité a découvert que la matière se comportait de façon prévisible ?

Il regarda en direction du fauteuil d'Elliott.

Personne. Elliott lévitait au plafond.

Quand, un instant plus tard, le proviseur s'en avisa, la convexité de ses globes oculaires s'accrut considérablement. Il s'enfonça dans les profondeurs de son fauteuil pivotant, les doigts si crispés sur ses lunettes qu'il fit sauter un verre. Une vie de clichés semblait soudain lui dégringoler dessus avec un fracas de verrière brisée. Il avait le nez enflé, comme s'il allait se mettre à saigner, et il se sentait le cerveau dans le même état qu'un vieille chaussette retournée. D'un signe, il imposa le silence, mais absolument personne ne parlait. Ce qui lui faisait tinter les oreilles, c'était seulement le garçon au plafond. Il avait l'impression d'avoir dans la tête un bataillon de forgerons martelant leurs enclumes, ou une foule hurlante ayant pris son crâne comme lieu de rassemblement. C'était comme si un train lui était passé dessus avec son bruit de tonnerre et ses roues cliquetantes...

Il s'affaissa encore plus profondément dans son fauteuil et, à la manière de Harvey le chien, laissa échapper une longue plainte geignarde.

Elliott redescendait lentement.

– Je peux m'en aller, maintenant, m'sieur?

– Oui, oui, je vous en prie, partez.

Le proviseur lui faisait signe de s'en aller. Quand la porte se fut refermée sur Elliott, il pivota lentement et regarda la lumière du soleil danser à travers la vitre. Puis il repivota, ouvrit le tiroir des DROGUES CONFISQUÉES et avala une poignée de Quaaludes.

Mais c'était encore à sa source que la petite onde complètement schlass était la plus intense; le vénérable habitant de l'espace, à présent complètement ivre, errait dans toute la maison en faisant clapoter ses grands pieds sur la moquette. Il avait fini le pack de six canettes. Ce n'était pas là une bien grande quantité d'alcool pour un Terrien, mais pour cette innocente créature céleste, à la mécanique finement réglée, cela équivalait à une tonne de briques circulant dans ses veines. Il allait grommelant de pièce en pièce, heurtant des objets, en renversant d'autres. Toujours avec le chien Harvey sur ses talons.

Harvey était en mauvaise forme, lui aussi. Par télépathie en quelque sorte. Lui dont la démarche était habituellement souple et élastique, il titubait maintenant comme un poivrot. La pauvre bête glissa sous une chaise, s'en extirpa avec effort puis tomba sous le sofa les quatre fers en l'air.

– Qu'est-ce qui ne va pas? demanda le vieux monstre. Tu ne peux pas marcher droit, non?

E.T. tenta une démonstration, mais il roula sur le coussin pour les pieds.

Les chiens s'amusent beaucoup habituellement de ce genre de comportements folâtres, mais Harvey était en proie à une vision: celle de grands engins spatiaux qui allaient et venaient avec, écrit dessus, RATIONS POUR LE CHENIL en lettres lumineuses, escortés de petits os pour la soupe qui volaient dans les airs. Il sauta pour en attraper un mais ce fut pour s'apercevoir à sa grande déception qu'il n'y avait rien.

E.T. culbuta en avant puis en arrière sur le coussin puis se leva d'un bond et tenta quelques pas de disco que Gertie lui avait appris. Il chantait: *Il y aura des accidents...*

Il chantait juste, mais changea quelque chose à la valeur des tons, de sorte qu'il obtint des effets d'espace avec production d'échos et réverbération; maintenant la musique semblait sortir des profondes cavernes creusées dans le roc d'un monde lointain où chantaient une foule de vieux petits monstres; Harvey gémit.

– ... *mais ce n'est que du rock and roll.*

Le monstre se balançait en musique, s'efforçant d'accélérer le rythme malgré son ventre en forme de boule de bowling. Cet étrange festival de prouesses chorégraphiques aurait pu se prolonger longtemps, mais Mary venait de rentrer. Après avoir feuilleté un magazine sur la table du courrier, elle se dirigea vers la cuisine.

Le vénérable héros de l'espace avait décidé que le temps était venu de lui déclarer son amour. Il pouvait percevoir la moindre de ses pensées; il savait qu'elle était prête pour une rencontre comme celle-là, avec un être plein de maturité.

Il avança dans le couloir.

Bien qu'assailli d'étranges rêveries, Harvey, lui, restait assez lucide pour savoir que c'était de la folie.

Il sauta sur E.T. juste au moment où Mary arrivait en sens inverse. Le chien alla se placer devant le monstre, se leva sur ses pattes de derrière, langue pendante, dans l'attitude du mendiant. Toutes les fibres de son corps de chien étaient tendues dans cet effort pour dissimuler le phénomène à la vue de Mary.

Comme il a déjà été dit, E.T. n'était pas bien grand, sa taille étant à peine celle d'un porte-parapluies, et Harvey dressé sur ses pattes dans l'attitude du quémandeur le cachait parfaitement.

– Eh bien, Harvey, dit Mary, j'ignorais que tu savais faire le beau! C'est Elliott qui t'a appris ça?

Le chien acquiesça.

– Mais je ne peux pas te donner à manger maintenant, tu le sais bien, Harvey.

Mary ouvrit la porte qui donnait sur le jardin et s'éloigna.

Harvey abandonna sa posture de crucifié et retomba sur ses quatre pattes, épuisé. Le surmenage physique ou mental n'avait jamais été son fort, et il n'avait pas pleinement goûté sa performance. Il se tourna vers le visiteur de l'espace.

Le vieux monstre le regarda, puis regarda la porte qui donnait sur le jardin. E.T. avait décidé qu'il serait absurde de laisser davantage ignorer à Mary l'étendue de sa grande sagesse; le temps était venu de faire sa conquête, avec des chants, des histoires et des signaux cosmiques codés en digital, ceux de l'espèce la plus secrète.

Il repoussa Harvey sur le côté.

Le poids spécifique du chien s'accrut instantanément et il dégringola deux marches juste au moment où Mary revenait du jardin avec une brassée de fleurs.

Harvey bondit et balança violemment sa queue. E.T. qui avait levé un pied dans l'ardent désir de s'avancer vers Mary fut déséquilibré. Tenant à peine debout, il fut frappé de plein fouet par la queue du chien et alla valdinguer par une porte ouverte. Harvey reprit la position du parfait quémandeur, ses articulations au supplice, mais il tenait envers et contre tout. Mary, chargée de fleurs, s'arrêta. Elle n'avait rien vu.

– Harvey, tu es bien agité aujourd'hui, il me semble. (Elle se retourna pour le regarder.) Est-ce que Michael a mis du speed dans ton Alpo?

Le chien fit un signe de tête affirmatif.

Mary passa son chemin et alla mettre les fleurs sur la table de la cuisine. Elle y prit une pile de vêtements rentrés de la teinturerie qu'elle chargea sur son épaule et se dirigea vers l'escalier. Ai-je vraiment vu ce chien hocher la tête? se demandait-elle.

E.T. réussit à se relever, en s'arc-boutant à une chaise. Il avait l'impression de rebondir comme une balle dans toute la maison sans arriver à se diriger où que ce soit. C'était pire que de naviguer dans une zone d'astéroïdes. Il oscilla, prit une longue respiration et poursuivit sa marche.

Qui sait? C'était peut-être son dernier jour sur la Terre. Si ses jambes continuaient à fléchir sous l'effet de la pesanteur, il ne passerait peut-être pas la nuit. Il ne fallait pas qu'il meure avant de lui avoir fait part de ses sentiments profonds.

Il se propulsait péniblement en direction des escaliers.

Harvey, langue pendante, poussait de petits grognements tout en faisant jouer sa queue le long des anneaux de la rampe, *platta-ta, platta-ta, platt.*

Dans sa chambre, Mary n'en était encore qu'aux tout premiers préparatifs de sa douche bien-aimée. Chaque fin d'après-midi, ce chaleureux intermède lui permettait de regrouper lentement ses forces. Demain, elle pourrait à nouveau affronter le monde un jour de plus.

Souhaitait-elle, en ce moment sacré, recevoir la visite dans sa douche d'un extra-terrestre? Un extra-terrestre aux pieds de canard avec de l'eau jusqu'aux chevilles qui la regarderait de ses yeux globuleux et implorants?

Peu plausible. Mais la probabilité allait croissant rapidement tandis qu'E.T. montait les marches en fredonnant : ... *Ce n'est que du rock and roll.*

L'offrande musicale fut épargnée à Mary car elle venait d'ouvrir les robinets en grand. Il faudrait quelques minutes avant que l'eau ne se réchauffe dans le chauffe-bain. Mary commença à se déshabiller.

E.T. passait justement devant la porte de sa chambre. Il y jeta un coup d'œil et les plantes en pot chavirèrent, sans doute complètement pompettes, elles aussi, en tout cas sûrement en proie à la plus grande confusion.

Qu'allait faire là l'auguste maître des fleurs? Elles

perçurent, jailli du cerveau du vénérable maître, un bourdonnement qui évoquait les légendaires essaims d'abeilles venus de Vénus. Le bourdonnement semblait le précéder; la pointe de l'essaim piqua droit sur la salle de bains.

Harvey se faisait tout petit, il se cachait le museau dans les pattes. Depuis qu'il avait dévoré le tapis éponge, l'entrée de la salle de bains lui était interdite. Mais aujourd'hui, quand il entendit claquer la porte et fermer le loquet, il fut plutôt soulagé.

E.T. marqua une courte halte devant la porte close; l'escadron d'abeilles vénusiennes décrivit une brillante trajectoire, émit un signal lumineux et s'évanouit dans un brouillard.

Le vénérable maître battit en retraite, regagna son cagibi et s'écroula, inconscient, sur ses coussins.

Keys ne pouvait pas savoir que sa proie se sentait déjà prise à la gorge. Le rayon télépathique d'E.T. avait détecté les équipements médicaux dernier cri, et l'information emplissait son être chétif d'une lourdeur inaccoutumée. E.T. n'aurait pu traduire avec précision les signaux qui lui parvenaient, étranges figures en réseau qui assaillaient sans relâche les franges périphériques de sa conscience. Mais il sombrait dans la mélancolie, dans la dépression, des milliers d'angoisses vagues envahissaient son être, et l'excès de boisson n'avait pu les dissiper. Complètement vautré dans son refuge, incapable de relever la tête, il avait le sentiment que des bras mécaniques l'enserraient et le maintenaient immobile. Il dormit par à-coups, et ses rêves furent agités de visions terrifiantes.

A la source de ses sombres pressentiments, un certain entrepôt du voisinage qui bruissait d'activité. La mission se précisait, le rythme des préparatifs s'accélérait. Keys devenait exubérant; à la perspective de son triomphe tout proche, il semblait marcher sur un nuage. Son équipe tourbillonnait autour de lui avec une sorte d'exultation; le moment historique était proche. Keys avait conscience de l'importance de l'heure, il savait que pour la première fois le champ télépathique d'une lointaine civilisation de navigateurs, inventeurs et armateurs du Vaisseau, avait été atteint.

Il avait fait des rêves prodigieux qui surpassaient en splendeur tous ceux de son enfance – et en lui s'était levé un sentiment étrange, un véritable amour pour cette superbe intelligence venue flirter avec la Terre.

L'équipe était fin prête; le compte à rebours avait commencé. Mais pour Keys ce déploiement d'activité était quelque peu éclipsé par la sensation qui s'était emparée de lui d'être désormais en prise directe sur le Vaisseau et sur son équipage et de vivre en eux. Leurs pensées flottaient au-dessus de lui telle une onde palpitante qui ne le quittait plus. Il était sûr maintenant qu'ils sauraient reconnaître qu'il n'était ni pris au dépourvu ni exempt de compassion. Il avait fait tout ce qui était en son pouvoir pour protéger l'existence de leur camarade naufragé.

L'armada des voitures était prête, les carrosseries luisaient et par les portières ouvertes on pouvait voir l'intérieur où scintillaient les écrans de lecture; les aiguilles des oscillographes tremblotaient et toutes sortes de circuits complexes brillaient de mille feux.

Tout cela, il allait le déposer aux pieds du navigateur égaré, en offrande.

Elliott rentrait de l'école. Lance le lepte marchait à ses côtés.

– Qu'est-ce qui t'a pris en classe de biologie, Elliott? Tu es devenu fou, ma parole!

– Je sais.

– Bizarre façon de se conduire, Elliott. Tu ne trouves pas que ce n'est pas très sympa d'attirer l'attention sur toi *en ce moment*?

Le lepte regardait Elliott d'un air entendu, comme une souris qui regarde à droite et à gauche après avoir creusé son trou dans un bloc de fromage.

Elliott lui rendit son regard et se retint une fois de plus de lui donner un coup de pied quelque part : il avait pu voir à nouveau les yeux d'E.T. reflétés dans les prunelles strabiques du lepte, deux petites lumières tout au fond.

Elliott soupira et monta les marches du perron. Lance le serrait de près, tout à fait comme un bout de chewing-gum qui vous collerait aux semelles.

– Je dois cependant reconnaître que tu as donné une bonne leçon à ce salaud de prof de bio. Les petits, qui l'ont eu tout de suite après nous, m'ont dit que lorsqu'ils sont entrés il baignait littéralement dans l'éther. Tu sais comment sont les gens qui se droguent à l'éther? Ils sont tout désynchros et complètement titubants.

Ils entrèrent dans la chambre d'Elliott, se frayèrent un chemin à travers les ruines et ouvrirent la penderie où ils trouvèrent E.T. inconscient, sur ses coussins, les doigts de pied en l'air.

Lance avait le souffle coupé.

– Tu l'as laissé comme ça tout seul? Tu es cinglé? Tu as la chose la plus précieuse au monde et n'importe qui pourrait entrer ici et le kidnapper; ou alors il pourrait se faire mal... il pourrait lui arriver vraiment n'importe quoi!

Elliott souleva la tête du vieux navigateur.

– Il est bourré.

E.T. ouvrit les yeux.

– Epelle : Pack de six canettes.

– Tu as eu ta dose, E.T.

Le respectable pèlerin des étoiles envoya des signaux dans le code digital du cosmos, roula d'énormes yeux et émit un hoquet.

Lance était épouvanté :

– Et puis d'abord pourquoi veux-tu à toute force continuer à le cacher? Pour l'amour du ciel, tu ne sais pas combien de gens payent des sommes considérables rien que pour voir *Kiss*? Et lui, il est bien plus important que *Kiss*, il est bien plus important même que l'équipe des New York Yankees! Elliott, c'est une mine d'or que tu as ici. Sors-le dans la rue...

Lance gesticulait d'importance, pour bien montrer qu'il avait toutes les qualités du parfait manager. Son épi de cheveux rouge carotte donnait le sentiment qu'il avait dû échapper de justesse au scalp en se glissant par la fente étroite d'un piège à rats bourré de fromage. N'importe quel gros promoteur lui aurait fait dégringoler les escaliers avec la corbeille à papier. Mais comme il était lepte, il ne pouvait pas savoir. Il continuait son harcèlement de lepte.

– Toi, moi et E.T. nous rendrons cela parfaitement légal.

Elliott tentait de ranimer E.T., mais le voyageur de la quatrième dimension continuait à osciller d'avant en arrière.

– Epelle : mal à la tête, Elliott.

– Il a la gueule de bois, gémit Lance. Elliott, il te faut absolument un manager, ici. Tu ne connais même pas le B. A. BA des soins à donner à un extra-terrestre.

Elliott essaya encore de ranimer E.T., mais il percevait la pesanteur étrange qui s'était emparée du corps de la créature – une nouvelle et singulière lourdeur, une lourdeur profonde, complètement inconnue à ce jour.

– E.T.!

Il secouait l'extra-terrestre, et E.T. tourna les yeux vers lui, mais ils reflétaient des visions du cosmos absolument terribles. Elliott n'en avait jamais vu de pareilles durant toutes les semaines où E.T. était resté à ses côtés. C'étaient les informations les plus démentes qui se puissent imaginer. Elles atteignirent Elliott de plein fouet, et l'étrange pesanteur devint sienne.

– E.T.... qu'est-ce qui... arrive?

L'antédiluvienne créature tomba lourdement en avant. Sa densité changeait. Tel le cœur d'une étoile filante, il était la proie absolue de la gravitation. Il se changeait en trou noir dans l'espace.

Lance lui aussi venait d'être touché. Sa silhouette s'appesantissait, paraissant encore plus courte. Il marchait voûté, l'échine courbée comme celle d'un rat.

– Regarde, il communique à travers toi! Il t'appartient corps et âme! Mais tu vas légaliser tout cela. Mon père est avocat. Il trouvera quelque chose, une solution. Nous allons être millionnaires, nous irons partout. Tout le monde voudra nous connaître, nous serons les garçons les plus célèbres du monde. Tout le monde voudra faire la connaissance d' E.T. et c'est à *nous* qu'il appartiendra!

Mais E.T. n'appartenait à personne, si ce n'est à la pesanteur. Il était complètement revenu à lui maintenant, il avait neutralisé l'ivresse grâce à un réglage interne instantané. Mais l'autre chose, cette profonde implosion de tout l'être, cela il ne pouvait rien y faire.

Ah! pauvre de moi!

Il se balança d'avant en arrière. Le processus de contraction de la matière agissait en lui. C'était la fin de sa durée de vie. Il allait se rétracter de l'intérieur et se condenser en un volume comparable à celui d'une tête d'épingle. Il avait fait son temps...

Il ne fallait pas que le garçon soit entraîné dans ce drame. Pourtant c'était ce qui arrivait! Le trou noir était ouvert et rien ne pouvait lui échapper. Les pilotes qui naviguent trop près seront engloutis – c'est la dure loi de l'espace.

– Epelez... allez-vous en!

Il essaya de repousser les enfants loin de lui. Mais ils continuaient à le soutenir, un sous chaque bras, et il sentit leur amour le parcourir. Fous que vous êtes, vous n'allez quand même pas me suivre? Car je suis E.T., nos esprits ne pourraient me suivre là où je vais. Je suis le vieux voyageur du vide, et vous n'êtes que deux chiots.

Harvey se glissait justement dans la chambre, tête basse, mine renfrognée. Mary allait revenir, le chien sentait qu'elle était en chemin, et il voulait avertir Elliott.

Il grogna à la porte du cagibi qui s'ouvrit aussitôt.

Il regarda E.T. et, au fond de son esprit canin, il

eut la vision d'une puissance obscure et caverneuse où des morceaux de lumière en forme d'os venaient s'engloutir l'un après l'autre. Il fit un bond en arrière, atteint dans sa propre carcasse.

– Laissez-moi, dit E.T. aux enfants, en essayant de lever les bras pour se dégager.

En vain. La Grande Théorie était à l'œuvre en lui et son corps, ce compendium d'énergie si parfaitement accordé à l'environnement intersidéral, s'écroulait sur lui-même.

Il lui fallait trouver le moyen de mourir seul. Mais, même à ce prix, la force pourrait être si irrésistible qu'elle aspirerait en elle toutes les énergies voisines. Allait-il, étranger solitaire, faire imploser la Terre tout entière ? Sa mort allait-elle pulvériser la planète ?

– Epelle : danger...

Il parcourait en pensée tous les niveaux cosmiques mais ne put trouver de formule apte à contrebalancer le processus. C'en était fait... il était complètement paralysé, et son Vaisseau était maintenant à des années-lumière...

– Ce qu'il... peut... être lourd, dit Lance qui ahanait comme un asthmatique tandis qu'ils traversaient la pièce en titubant.

Ils le soulevèrent dans un ultime effort et le jetèrent sur le lit d'Elliott. Mary était dans l'escalier. Un instant plus tard, la porte s'ouvrit.

– Bonsoir, les enfants.

Harvey vint se poster devant elle, dressé sur ses pattes de derrière, en position de suppliant. Son poil tout magnétisé lui faisait une sorte de halo qui masquait complètement Elliott et Lance occupés à jeter une couverture sur E.T.

– Mais qu'est-ce que vous avez fait à Harvey ?

demanda Mary. (Le chien haletait, agitant les pattes.) Vous l'avez drogué ou quoi? Dites-moi la vérité!

– Harvey, dit Elliott, du calme.

E.T. sombrait toujours plus profondément. Il sentait la présence de la créature-saule, mère de la maisonnée, et il savait qu'elle aussi serait entraînée dans le gouffre. Il n'aspirait plus à l'intimité, ils avaient des routes trop différentes. Leurs univers n'étaient unis que par des renvois en bas de page.

Si elle coulait à pic dans les profondeurs insondables, elle ne saurait jamais ce qui lui était arrivé. Sa conscience se désintégrerait, et il en serait de même pour les deux garçons.

– Si je ne me relève pas... relève pas... épelle : relever.

Mais il ne pouvait plus bouger.

Il les entendait parler dans le langage des humains.

– Comment ça s'est passé à l'école?

– Bien.

– Vous voulez manger quelque chose?

– On descend dans une minute, dit Elliott.

– Vous avez des petits-suisses?

Lance était en manque. Il se sentait la tête bizarre, tout d'un coup. Il se sentait tomber dans quelque chose de plus profond que tout ce qu'il avait jamais pu rêver jusque-là. C'était un peu comme l'autre nuit, sur le vélo, mais à l'envers. Ce soir-là, il s'était presque cru capable de voler, et maintenant, au contraire, il se sentait pris dans de sombres et visqueuses substances dont seul un petit-suisse pourrait venir à bout.

– Quelqu'un a déjà mangé tous les petits-suisses, dit Mary, regardant le lepte d'un air soupçonneux.

Elle savait que les garçons manigançaient quelque chose; c'était *là*, à la remorque de son intuition maternelle, mais elle n'avait pas envie d'insister. Une soudaine migraine lui fendit le crâne. Oh, mon Dieu, pourvu que ce ne soit pas déjà la ménopause! C'est tout ce qu'elle demandait.

Elle quitta la pièce. Elliott retourna vivement au chevet d'E.T. Le bras du vieil errant avait glissé hors de la couverture. L'horreur se peignit sur le visage d'Elliott à la vue de la couleur qu'avait prise cette main – un ton grisâtre qui l'hypnotisait et l'entraînait dans les filets d'un rêve beaucoup trop grand pour lui.

Il sombra, agrippant la vieille main dans la sienne.

– E.T., guéris...

13

La nuit venue, Elliott avait apporté dans la chambre le contenu entier de l'armoire à pharmacie. Boîtes et flacons jonchaient maintenant le sol sans plus d'utilité que s'ils eussent été des médicaments pour rire. Le mal dont souffrait la créature étendue sur le lit ne se soignait pas avec des médicaments.

E.T. avait été happé dans le gouffre tourbillonnant de la gravitation universelle. C'en était fait de ses rêves de vie sur la Terre, de ses rêves de clairs d'étoiles. Désormais son astre était le soleil noir.

Tout cela parce qu'il n'avait pas su résister à son envie d'aller lorgner aux fenêtres...

Il fallait à tout prix empêcher que son désastre personnel n'atteigne ces Terriens, et même, qui sait – on n'avait jamais formulé l'équation pour cette planète – et même la Terre. Oui, il se pourrait bien qu'il l'entraîne tout entière dans cette catastrophe. Toutes les plantes de la maison étaient mortes. Les murs semblaient se refermer sur lui au rythme de ses propres poumons.

– Guéris-toi toi-même, suppliait Elliott.

Il avait le sentiment que le vieux génie pouvait tout. Mais il y a des choses que même les dieux les plus anciens ne peuvent accomplir.

E.T. secoua lentement la tête.

– Alors laisse-moi le faire. Donne-moi ton pouvoir, dit Elliott sans se rendre compte qu'il en possédait déjà une part bien trop grande, puisqu'il avait le pouvoir de disparaître lui aussi dans un monde étranger. Mais c'était un pouvoir si ancien et si irrésistible qu'il ne pourrait en aucune façon en contrôler le processus et que son saut dans l'autre dimension déchirerait sa conscience en deux.

– Emmène-moi... très loin..., chuchotait E.T., et abandonne-moi.

– E.T., dit Elliott, je ne pourrai jamais t'abandonner.

Le naufragé fit appel à tout son courage pour faire de nouveau surface, pour parler, pour argumenter.

– Je suis un grave danger pour toi. (Il leva le bout de son long doigt.) Et pour votre planète...

Il releva la tête. Ses yeux étoilés brillaient dans la clarté lunaire.

– Mais notre émetteur, il marche encore.

– De la camelote, dit E.T.

Ses yeux lançaient des éclairs dans l'obscurité.

Elliott pouvait y voir des lignes d'une incroyable complexité, joignant des interstices de lumière, et il pouvait y lire la conscience d'un anéantissement tout proche dans des tourbillons sans fond. Le plafond gémissait au-dessus de leurs têtes. Harvey geignait dans son coin et les yeux de l'être fantastique continuaient à contempler, impuissants, les turbulents mystères de la matière qu'aucun botaniste venu des étoiles ne peut infléchir.

– Tu n'essayes même pas, dit Elliott, effrayé par les yeux d'E.T. et en même temps attiré par eux. S'il te plaît, E.T.!

La nuit s'avançait. Le corps d'E.T. devint plus rigide et tout gris. Il remuait les lèvres, mais aucun mot n'en sortait. On entendait seulement un bruit interne de précipitation : l'ultime compression de la couche de matière stellaire. La masse physique d'E.T., bien qu'elle ne dépassât pas en volume celle d'un porte-parapluies, était d'une incroyable densité. Sa charge énergétique était comme aspirée par son noyau. Ses couches internes s'entassaient les unes contre les autres, écrasant le cœur de cette étoile...

Elliott avait l'impression que son propre corps était fait de chaînes, des chaînes de fer qui le tiraient vers le bas. Il se sentait de plus en plus lourd; il lui semblait que sa tête éclatait en deux morceaux, et une sombre dépression pesait sur lui comme cent mille tonnes de plomb. Et quand enfin se leva le matin gris, il se tira du lit et regarda E.T. Le monstre semblait vidé de sa substance, essoré; il était exsangue, non plus gris mais blanc... un *nain blanc*.

Elliott se traîna au bout du couloir et tituba jusqu'à la chambre de Mary. Il poussa la porte. Ciel de plomb et solitude cosmique, c'était tout un pour lui, désormais. Il se sentait étranger à la Terre, étranger à lui-même et il avait peur.

Mary ouvrit les yeux, et le vit.

– Qu'est-ce qu'il y a qui ne va pas?

– Tout... ne sert à rien, dit-il, se sentant intérieurement tomber, couler à pic, partir.

– Oh! mon bébé, il ne faut pas te mettre dans cet état-là, dit Mary.

Mais, en fait, elle était exactement dans le même état : toute la nuit elle avait rêvé qu'elle était sous l'eau, incapable de remonter à la surface.

– Je possédais quelque chose de prodigieux, dit Elliott, et je l'ai rendu triste.

– Ça arrive à tout le monde d'avoir cette impression, dit Mary.

Elle espérait avoir trouvé la platitude appropriée, mais il n'y avait jamais eu de remède pour elle, pourquoi y en aurait-il un pour Elliott? Elle tapota le lit, l'invitant à venir s'asseoir à côté d'elle. La chaleur serait plus efficace que les mots. Pourtant, dans l'aube grise, elle était transie jusqu'à la moelle, et se sentit plus transie encore quand Elliott entra dans le lit.

Qu'est-ce qui se passait dans cette maison?

Elle avait le sentiment qu'une chose atteignait la maison en plein cœur, une chose horrible, innommable, qui tirait tout à elle.

– Tu peux me... raconter?

– Plus tard.

Elliott se pelotonna contre elle, mais c'était toujours cette même sensation de couler à pic, toujours plus profondément dans le gouffre, là où personne ne pourrait le rattraper – parce que plus personne n'existait.

– Essaye de dormir, dit Mary en lui caressant le front. Essaye de dormir.

Elliott dormit et rêva d'un boulet de fer qui grossissait, puis rapetissait, rapetissait encore, et il le chevauchait dans le néant.

Quand le réveil sonna 7 heures et demie, Mary se leva et décida de laisser Elliott dormir : cette fois son malaise n'était pas feint. Elle enfila sa robe de chambre et il lui sembla qu'une force inconnue venait lui fermer les paupières. Elle lutta pour rouvrir les yeux et se secoua. Elle regarda Elliott. Oui, aujourd'hui, il y avait vraiment quelque chose qui n'allait pas. Peut-être avait-il la gueule de bois? Peut-être marchait-il précocement sur les traces de son bon à rien de père? Elle avait trouvé six canettes de bière vides...

La porte s'ouvrit et Michael entra.

– Où est Elliott?

– Ne le réveille pas, dit Mary. (Elle entraîna Michael dans le couloir.) Est-ce que tu sais ce qui le tracasse? (Elle noua la ceinture de sa robe de chambre.) Il a l'air très déprimé.

– C'est sûrement l'école, dit Michael. L'école est extrêmement déprimante.

Il jeta un coup d'œil derrière lui. Quelque chose n'allait pas pour E.T., quelque chose n'allait pas pour Elliott, quant à lui, sa tête était en train d'éclater.

– Bon, dit Mary, je veux qu'il se repose.

– Laisse-moi rester avec lui, dit Michael. Je n'ai qu'une demi-journée de classe aujourd'hui. S'il te plaît, maman.

Mary prit une aspirine dans la poche de sa robe de chambre.

– Bon, dit-elle. Tu pourras peut-être l'aider à se sortir de là.

Elle se dirigeait vers l'escalier en essayant de secouer sa propre torpeur. Avait-elle pris sans s'en apercevoir du Valium pendant la nuit? Elle avait la tête comme un ballon de plomb.

14

– Réveille-toi, maintenant. O.K.!

Michael s'assit sur le lit à côté d'Elliott. Il lui souleva la paupière et l'œil lui renvoya un regard de l'autre monde, un regard de pierre.

Michael gémit et secoua Elliott.

– S'il te plaît, Elliott.

Elliott revint lentement à lui et Michael l'aida à retourner dans sa chambre. Les deux frères chancelaient l'un contre l'autre. Michael avait l'impression de traîner un boulet de plomb. Une force inconnue paraissait les entraîner tous les deux vers le sol. Qu'est-ce qui arrivait à son frère? Toute la maison semblait en proie à un effondrement de terrain.

Michael toucha le mur pour se rassurer, mais la paroi se mit à exécuter des mouvements dans l'espace courbe, ses fibres saturées de lumière noire dansant lentement.

– Allez, Elliott, secoue-toi un peu.

Il ramena son frère dans sa chambre. Elliott se sentait complètement ankylosé, comme pris dans des chaînes d'acier.

Et E.T. gisait sous la couverture. Il était aussi blanc que la cendre.

Michael laissa tomber Elliott sur le lit. La peur courait dans ses veines et mille rêves sombres venus d'un centre immensément éloigné fondaient sur lui. E.T. respirait beaucoup trop profondément, il semblait hors d'atteinte maintenant, dans le grand gouffre atomique. Son heure était venue. Il était perdu.

Sauve-moi, criait-il au commandant du Vaisseau des Lointaines Clartés.

Viens, mon commandant, vole au secours du Botaniste de Première Classe en détresse!

Mes plantes meurent. Et moi aussi, je meurs, je le crains.

– Il faut qu'on le dise aux autres, maintenant, Elliott, dit Michael. Nous avons besoin d'aide.

Elliott se tourna vers Michael; ses yeux emplis de filaments brillants ressemblaient à deux méduses couleur de lune fuyant les périls.

– Non, tu ne peux pas faire ça, Mike... Ne...

Il ne fallait pas que le reste du monde fasse irruption ici, Elliott le savait. L'armée n'y comprendrait rien. Le gouvernement fédéral non plus. Ils s'empareraient du prodige et feraient des expériences sur lui.

– Je veux bien le partager avec toi, haleta Elliott, mais c'est tout ce que je peux faire.

Michael se passa la main sur le visage, essayant de réfléchir à ce que pouvait représenter cette moitié du pouvoir par rapport aux limites que la morale imposait à leur jeu. En tout cas, le mystérieux pouvoir qui venait du lit le forçait pour l'instant à se balancer sur ses talons d'avant en arrière, le poussant dans toute la pièce comme une

marionnette et, pour l'heure, toute partagée qu'elle
fût, la mystérieuse puissance était bien au delà de
tout ce qu'il pouvait assumer. Les murs pulsaient
leurs rayons noirs, et Michael eut la vision de mille
petits E.T. qui tournoyaient sur fond de flammes
cosmiques. La créature allait-elle faire brûler le
monde entier?

– Elliott... (Michael titubait et tentait d'échapper
à la danse barbare des atomes survoltés.) Nous le
perdrons, si nous ne demandons pas du secours. Et,
Elliott, nous te perdrons, toi aussi...

Des tentacules rougeâtres oblitéraient le regard
d'Elliott. Ses yeux ressemblaient maintenant à ceux
du poisson torpille. La force mystérieuse était à
l'œuvre et dépassait complètement les facultés sen-
sorielles des Terriens. Elliott rougeoyait comme la
fonte dans un haut fourneau. Oui! En d'autres
temps, il avait su simuler la fièvre, mais cette
fois...

Soudain Michael saisit Elliott sous un bras, et E.T.
sous l'autre.

Certes Mike était grand, mais le poids de ces deux
êtres : un boulet de plomb et un soleil cosmique!

Il s'arc-boutait de toutes ses forces. Il crispait ses
doigts mais E.T., chargé d'électricité magique, était
lourd de dix millions d'années de savoir spatial.

Michael les traîna dans la salle de bains et les
laissa tomber dans le bac à douche. Il fallait qu'il
éteigne ce feu, qu'il fasse refroidir Elliott.

L'eau coula, imbibant Elliott et E.T.

Le vénérable navigateur hocha la tête.

Ah oui, c'était la douche, lieu entre tous des
évolutions de l'exquise créature. E.T. perçut l'image
télépathique de Mary et son adorable champ

magnétique. Mais aujourd'hui, c'était une douche de comètes qu'il allait prendre. Adieu, jeune saule.

Il avança en vacillant sous le pommeau ruisselant, mais c'était une cascade quelque part sur Vénus, dans une grotte cachée où des rivières souterraines bruissaient dans l'obscurité. E.T. ferma les yeux, oui, c'est là qu'il se baignait. Ces décors enchanteurs qu'il avait pensé pouvoir éternellement revenir visiter, tout cela était révolu.

Il avait tout gâché, la curiosité avait tué l'initié des grands espaces; il avait fait fi du vieil adage pourtant bien connu de ceux qui voguent vers des mondes étrangers : lorgnez dans toutes les dimensions et en dehors d'elles, mais ne vous laissez pas choper par la mort.

Comme un idiot qu'il était, il avait foutu en l'air l'immortalité. Le routard des étoiles avait fait une bourde monumentale.

Et maintenant, une dernière douche. Certains la prennent sur Vénus, d'autres sur Mars...

Il n'y a qu'un fou du cosmos pour se laisser piéger sur Terre.

Il fit clapoter ses pieds de canard et se mit à chanter doucement. Son chant montait des profondeurs cosmiques à travers d'antiques chambres d'échos.

Des accidents arriveront...

Il sombra. Ses genoux étaient de plomb, des tonnes fondaient sur lui, comprimant toute la masse de son corps.

Elliott coula avec lui, entraîné vers le fond du tub.

« E.T., guéris-toi. » Elliott était conscient de l'énorme énergie à l'œuvre dans le corps d'E.T., mais il n'était pas en son pouvoir de canaliser ce déchaînement insensé qui ratatinait le corps de son compagnon, submergeant le providentiel rayon guérisseur dans des tourbillons de flammes.

La porte du rez-de-chaussée s'ouvrit et Mary entra, suivie de Gertie.

– Va dire bonsoir à ton frère, Gertie, ça lui fera du bien, dit Mary.

Elle venait de faire des courses à l'épicerie. Elle posa les sacs de provisions. A la seconde même où elle avait mis le pied à la maison, sa migraine était revenue. Elle avait l'impression d'avoir une lame de couteau plantée au milieu du front.

Elle inclina la tête en arrière, puis en avant, la fit pivoter, puis appuya ses paumes sur ses tempes. Elle reçut aussitôt l'image très vive et très nette de son médecin qui lui prescrivait des choses dont elle n'avait nul besoin.

Michael descendait l'escalier avec ce bruit de tonnerre propre à l'adolescence. L'escalier semblait la cible d'une rafale de boulets de plomb.

– Doucement, chéri, dit-elle, tu vas passer à travers le plancher.

– Maman j'ai quelque chose à te dire. Assieds-toi, ça vaudra mieux.

Mary s'affala dans son fauteuil. Oh Dieu! Par pitié! Ne faites pas peser sur moi un nouveau désastre propre à l'enfance, pas aujourd'hui, pas de marques de morsures humaines sur la poitrine, ni aucune autre horrible histoire de coups et blessures entre garçons.

Mais c'était son séant qui pesait sur le fauteuil, et lourdement, et elle entendit craquer le siège. On eût dit des tendons sur le point de claquer.

– C'est sérieux?

– Plus sérieux que tu ne penses.

Elle sursauta, sa tête tournait comme une toupie, quelque chose de terrible fondait sur elle.

– Tu te souviens du gobelin? demanda Michael.

Ça y est, c'était sûrement un pervers sexuel, se dit-elle. Mais qu'est-ce qui arrivait à la famille? Les yeux de Michael étaient comme deux méduses.

Les pas de Gertie se firent entendre dans l'escalier. Mary eut l'impression que la maison tout entière tremblait sous les pas de cette enfant de cinq ans.

– M'man, criait Gertie, ils sont partis, ils ne sont plus dans la penderie.

– Ils? Qui « ils »?

Mary regarda Michael.

– Je crois qu'il vaudrait mieux que je te les montre, dit Michael.

Il la précéda dans les escaliers. A la porte de la salle de bains, il se retourna vers elle :

– Promets sur tout ce que tu as de plus cher au monde...

– Michael! (Mary perdait ses esprits comme des épingles à cheveux; Michael parlait comme à une table de Donjons & Dragons.) Mais qu'est-ce que c'est que ça?

Michael avait tiré le rideau de la douche. Mary vacilla, garda les yeux fermés pendant une fraction de seconde, car elle avait cru voir un amas reptilien qui se contorsionnait au fond du tub. Elle rouvrit les yeux, vit Elliott et...

– On est malades... (Elliott leva la main.) On est en train de mourir.

L'eau ruisselait sur eux, sur Elliott et sur cette monstrueuse silhouette, sur ce monument de cauchemar d'un mètre de haut. Du monument, un signe vint. Les lèvres de la chose remuèrent et Mary entendit les échos caverneux de fissions et d'espaces disloqués.

– Il vient de la Lune, dit Gertie.

Mary attrapa Elliott et le sortit de la douche. Elle ne pouvait penser qu'à la fuite. Il fallait échapper à la chose qui s'agrippait à Elliott l'instant d'avant, fuir cette chose humide et reptilienne quelle qu'elle fût. Bien trop monstrueuse, en tout cas, pour qu'on s'attarde ici une seconde de plus à la regarder.

– Tout le monde en bas! dit-elle en enveloppant Elliott dans une serviette.

Elle les poussait devant elle. Son esprit ne travaillait pas rationnellement; elle était guidée par une sorte de sens crépusculaire, tâtonnant en aveugle. La chose dans la douche pouvait rester là, si elle voulait; elle, elle partait avec les enfants. A part ça, elle ne voulait rien savoir.

– On ne peut pas le laisser tout seul, protesta Elliott.

Mary n'était plus capable que de pousser les enfants devant elle. Maintenant elle détenait le Pouvoir Absolu, engendré par une peur qui la submergeait et par la nécessité de fuir. Elle poussait les trois enfants vers la sortie comme des poupées de chiffon. Elle ouvrit la porte... et le dernier pan de sa raison s'écroula : sur le seuil se tenait un astronaute.

Il la regardait à travers un casque en forme de coupole. Il était revêtu d'une combinaison spatiale. Elle lui claqua la porte au nez et retraversa la maison. Mais la porte du fond s'ouvrait déjà, laissant passer un second astronaute.

Mary se précipita à la fenêtre. Une feuille de plastique vint s'appliquer, de l'extérieur, sur la vitre, et elle put voir un homme, vêtu d'une combinaison spatiale, qui scotchait la feuille contre l'encadrement.

Quelques instants plus tard une énorme tente de plastique descendait sur la maison et l'emprisonnait totalement.

A la tombée de la nuit, la maison avait été changée en un paquet géant, complètement étanche, drapé dans du vinyle transparent, avec d'énormes tuyaux d'aération qui grimpaient sur le toit et encerclaient toute la structure. Des projecteurs dressés sur de grands échafaudages l'illuminaient de toutes parts. La rue était bloquée; des caravanes et des camions stationnaient sur l'allée privée. Des hommes allaient et venaient en tenues bleues de parachutistes.

Pour entrer dans la maison, on devait passer par un gros camion.

Keys était dans le camion, en train d'enfiler sa combinaison de parachutiste et de mettre son casque. Il ouvrit les portes arrière du camion et s'avança dans un des énormes conduits. Il défit la fermeture à glissière du dispositif d'étanchéité et entra dans la maison mise en quarantaine.

– Stupéfiant... tout simplement stupéfiant!

Le microbiologiste, jadis sceptique, parlait tout seul. Derrière son casque, sa voix n'était qu'un étrange sifflement asthmatique; il avait l'air d'un poisson rouge souffrant de choc dans un bocal de magasin à prix unique. Autour de lui, dans la zone réservée à son équipe, des spécialistes hommes et femmes examinaient des frottis de tissus et d'autres échantillons prélevés sur le système vital d'E.T. Tout d'abord plongés dans une étrange torpeur, ils essayaient maintenant de faire face.

Dans une autre partie de la maison, une équipe de médecins examinaient la mère et les enfants. Le living-room était transformé en service d'urgence et on faisait une prise de sang à Mary.

– Y a-t-il eu des changements dans l'environnement depuis que le... depuis que ça... a été séquestré dans la maison? Température? Humidité? Intensité de la lumière?

Elle regarda le médecin, médusée, incapable – ou alors refusant – de parler. A côté d'elle, un autre médecin prenait la tension de Michael.

– Avez-vous noté des changements superficiels dans la couleur de la peau de la créature, ou dans sa façon de respirer? Aucune perte de cheveux, aucune trace de transpiration?

– Il n'a jamais eu de cheveux! dit Michael.

– Apparemment, dit le médecin à son collègue, les enfants avaient réussi à établir un système langagier primitif pour communiquer avec la créature. Sept ou huit monosyllabes...

– C'est *moi* qui lui ai appris à parler, dit Gertie au médecin occupé à lui couper une mèche de cheveux.

Un psychiatre s'agenouilla près d'elle.

– Tu lui as appris à parler?

– Oui, avec mon Dictographe.

De toute évidence, le psychiatre n'utilisait pas couramment le Dictographe.

– As-tu vu ton ami extérioriser une émotion? Est-ce qu'il a pleuré ou ri?

– Il a pleuré, dit Gertie. Il voulait rentrer chez lui.

L'homme qui orchestrait toute cette activité passa parmi eux et se dirigea vers la salle à manger occupée par une équipe chargée d'étudier les structures osseuses de l'extra-terrestre. La perplexité était telle que les chercheurs de ce laboratoire improvisé ne cessaient de se gratter les tempes... du casque.

Keys ouvrit la fermeture à glissière d'une porte en plastique et pénétra dans une dernière pièce où l'isolement avait été poussé au plus haut degré. La pièce entière était drapée dans du plastique, comportant en son centre une bulle stérile de trois mètres sur trois... Là se trouvaient enfermés Elliott et E.T. avec une équipe de spécialistes.

— J'ai réussi à obtenir un tracé, mais il n'est d'aucun type connu.

— Y a-t-il des ondes Q, R, X?

— Non.

— Y a-t-il des ondes, au moins?

— Je... je ne sais pas.

Le tracé obtenu n'avait jamais été étudié dans aucun manuel. Mais les médecins sont de drôles de gens. Laissez-les une minute avec n'importe quel soupçon de phénomène anormal, et ils le traqueront sur toutes les coutures — avec ce calme tout-puissant qu'ils affectent en permanence, tout-pénétrant devrait-on plutôt dire...

« C'est bizarre... » : voilà tout ce qu'ils étaient capables de dire, et en vérité tout cela était bien au delà du bizarre. Tout était contradictoire dans la créature qui était là devant eux sur la table — certaines parties de son être étaient comparables aux rêves paisibles des végétaux tandis que d'autres possédaient la densité de la pierre et ses constantes biologiques faisaient sauter tous les appareils.

— Avez-vous pu localiser le cœur de la créature?

— Difficile...

— Bon, est-ce qu'au moins il a un cœur?

– L'écran entier s'allume. Comme si le thorax entier n'était... qu'un cœur.

Ils lui passèrent des tuyaux dans tout le corps, le stimulèrent, firent ployer ses membres dans tous les sens. Des aiguilles piquaient sa chair à la recherche de veines, d'autres aiguilles testaient ses réflexes. On découvrit ses oreilles et les délicats cotylédons furent dépliés. Ses yeux, jadis scanners de l'Univers entier, hypersensibles à la lumière, furent exposés à de féroces rayons sondeurs. L'équipe travaillait fiévreusement, essayant de percer le mystère sous tous les angles à la fois. Son corps crucifié fut ainsi la proie des appareillages les plus sophistiqués que la médecine ait conçus pour scruter l'intimité des mécanismes vitaux.

Le directeur de l'équipe s'épongeait le front... du moins essayait-il, car chaque fois sa main butait sur le devant du casque. Frustré, confus, il se mit à détester E.T. Monstre marin ou monstre d'inconscience, de toute façon le sens, le dessein et le secret de cette forme inhumaine lui échapperaient sûrement, en dernière analyse.

Abominable, oui, c'était bien ça, et l'indicible laideur dispensait le médecin de son habituelle sollicitude. Son esprit accablé se représentait des ptérodactyles, des lézards primordiaux, et toutes sortes d'animaux grotesques qui, Dieu merci ! avaient cessé d'exister. Cette chose, devant lui, froide, dépourvue de tout sentiment, sortait tout droit d'un cauchemar – c'était le monstre difforme que chacun de nous redoute en permanence de voir émerger des entrailles de la vie. Il était naturel de haïr un tel objet et de souhaiter sa mort.

– Il est vivant, dit le technicien qui l'assistait, mais je n'arrive pas à trouver le souffle.

– Le pouls reste stable...

Le navigateur du troisième âge était étendu, aussi immobile qu'une planète morte. L'éclairage cru du scialytique lui tombait dessus à la verticale, tel un œil terrible dont l'effrayant regard de néon le pénétrait jusqu'aux os.

Il savait qu'il était tombé sous leur coupe. Ces médecins terriens fabriquaient des équipements bien barbares comparés aux délicats instruments d'exploration du Grand Vaisseau.

Ah! Médecine! soupira-t-il intérieurement, prenant à témoin les ténèbres extérieures qui abritaient désormais ses médecins personnels.

– Conformation de type marfan.

– Notez : relative exophtalmie.

– Babinski bilatéral.

– J'ai enregistré un souffle, juste un.

Il essayait en pensée de se frayer un chemin vers le Vaisseau. L'Univers entier attendait de lui l'accomplissement d'un haut dessein. Etait-il sur le point de perdre la partie ?

Ah! E.T., soupira-t-il, ils t'ont bien eu.

Les chaînes de fer de la Terre l'enserraient, le ligotaient, l'entravaient. Le poids était épouvantable et sa force vitale continuait de décliner.

– Vous avez trouvé des oligo-éléments ?

– Nous avons établi un seuil radioactif. Mais aucune trace de brûlure superficielle chez les gens de la famille, aucune lésion osseuse non plus.

– Doppler, avez-vous repéré un flux sanguin ?

– Nous avons détecté des extrasystoles et enregistré le tracé de la créature et un tracé simultané pour l'enfant.

Une fois de plus, le médecin-chef s'essuyait nerveusement le devant du casque. Le garçon et le monstre étaient sûrement en symbiose. Tout se passait comme si le monstre se nourrissait de la substance vitale de l'enfant. L'enfant sombrait dans l'inconscience, puis se réveillait, fantasmait, émettait des sons inarticulés et sombrait à nouveau. Il faut couper le cordon invisible qui les relie, pensait le docteur. Si seulement je pouvais le repérer et savoir en quoi il consiste.

Il sonda plus profondément, et essuya à nouveau la coupole de verre qui lui enfermait la tête. Il était convaincu que le monstrueux phénomène était en train de mourir; il se souciait maintenant de l'enfant. Le rythme cardiaque était irrégulier, le pouls faible, et tout cela, d'une certaine manière, en prise synchrone avec le monstre; un engrenage caché les connectait de la façon la plus infernale.

Sacré nom de nom, pensa le docteur, ça me dépasse complètement. Il jeta un coup d'œil vers les autres pièces de la maison.

Il vit les chercheurs hocher leurs têtes casquées et il sut que personne n'avait de réponse à ses questions.

Il porta à nouveau son regard sur le monstrueux visage. S'il existait dans l'Univers une créature insensible, sans rapport avec rien, glacée et dépourvue d'amour, c'était bien cette sacrée chose qu'il avait devant lui. En un sens, elle avait sûrement une intelligence assez évoluée puisque le Vaisseau spatial avait pu venir jusqu'ici. Mais ses occupants n'étaient que des parasites, des prédateurs, incapables de sympathie, de gentillesse et de tous les beaux sentiments humains. Cela, il en était absolument convaincu. Il aurait souhaité de tout son cœur pouvoir étrangler le monstre. C'était une dangereuse créature, il n'aurait su dire exactement pourquoi, mais il *savait*, au plus profond de son être, que c'était un danger pour eux tous.

Une aiguille piqua la peau d'E.T. Elliott tressaillit comme si la piqûre avait pénétré son propre épiderme. Il se tourna vers le seul visage un peu familier, celui de Keys.

– Vous lui faites mal. Vous êtes en train de nous tuer.

Keys abaissa son regard sur E.T. L'image qu'il se faisait d'une noble créature de l'espace en avait pris un coup quand il s'était trouvé en face d'E.T. Cependant, l'esprit de Keys vibrait dans un registre plus élevé. Si laide qu'elle soit, cette chose sur la table appartenait au Vaisseau et le Vaisseau avait une trajectoire et une puissance infinies. Le servir était la mission que Keys s'était assignée.

– Nous essayons de l'aider, Elliott, il a besoin d'être entouré de soins.

– Ce qu'il veut, c'est rester avec moi. Il ne vous connaît même pas.

– Elliott, ton ami est une créature rare et précieuse. Nous désirons le connaître. Si nous arrivons à le connaître vraiment, nous pourrons apprendre un tas de choses sur l'Univers et sur la vie. Tu l'as sauvé et tu as été bon pour lui. Peux-tu maintenant nous laisser jouer notre rôle ?

– Il veut rester avec moi.

– Mais il restera avec toi. Où qu'il aille, tu pourras le suivre. Cela, je te le promets.

Mais personne ne pouvait suivre E.T. là où il allait.

Les turbulences dont son corps était la proie se déplaçaient vers ses centres vitaux. La vénérable créature avait conscience de l'énormité de cette force. Ce souffle était celui des antiques dragons. En d'autres temps, ceux de sa race avaient su dompter leurs flammes, leur puissance, et se rendre maîtres de leur vie. Cette conquête allait-elle finir en cataclysme? Allait-il détruire la planète? Non! criait-il intérieurement. Il faut empêcher cela. L'horrible destin que ce serait d'avoir dévasté une chose aussi adorable que la Terre. Je serais maudit pour toujours par l'univers entier.

Mais le dragon dansait en son cœur. Ses yeux le brûlaient de mille soleils, crachant les mystérieuses flammes de la terreur et de la conquête. Une immense quantité d'énergie allait être libérée. Le souffle projetterait docteurs et machines, amis et ennemis, tout et un chacun à travers le toit de l'espace.

– Le garçon est retombé dans le coma.

– Appelez la mère.

Au bord du vide, E.T. s'accrocha à un dernier fil très ténu. Un ronflement puissant lui emplissait les oreilles, la gueule béante du dragon allait se refermer sur lui; effrayantes, les langues noires des flammes cosmiques montaient vers lui, avides de dévorer une planète, un système solaire, enfin tout ce qui pourrait se trouver sur leur chemin. E.T. sentit se rompre l'ultime écorce de son être. Le savoir stellaire s'échappait de lui à toute vapeur, de plus en plus vite...

– La tension artérielle n'est plus chiffrable.

– Quant au pouls...

– Augmentez l'oxygène.

– L'onde vient d'entrer dans V-Tak.

– V-Tak ou artefact? Comment pouvez-vous savoir puisqu'il n'y a pas d'ondes Q, R et X?

– Le tracé est complètement plat, maintenant.

– Réanimez-le.

Un machin électrique fut appliqué sur la poitrine d'E.T. Ils le réanimèrent, lui injectèrent de l'adrénaline, le pilonnèrent.

– Rien... Ici, j'ai un blanc.

L'électrocardiogramme du vieil astronaute n'était plus qu'un trait horizontal complètement plat. Le cœur avait cessé de battre. E.T. était mort. A ce moment précis, Elliott revint complètement à lui. Avant de sombrer dans le néant, E.T. avait fini par retrouver la formule pour empêcher qu'Elliott le suive dans le gouffre.

Elliott bondit debout sur son lit, et hurla :

– E.T., ne t'en va pas!

– Plus aucune réaction, dit un docteur. Il ne respire plus.

– Il sait très bien *retenir* sa respiration, cria Elliott.

Les médecins secouaient la tête. La créature qu'ils avaient tenté de sauver était bien morte, et maintenant ils pouvaient à nouveau donner libre cours aux débordements de leurs sensibilités outragées. Sur *quoi* avait-on voulu les faire travailler?

Ils remarquèrent à peine le léger tremblement qui avait affecté les éclairages et le matériel, l'espace d'un instant. Ils ne s'aperçurent pas non plus de celui qui avait secoué la maison, la vallée. Cela incomberait à d'autres équipes, à d'autres instruments – ceux qui contrôlent les perturbations profondes qui se produisent au cœur même de la Terre.

Tel un enfant qui ne peut pas croire que la mort existe vraiment, Keys se penchait vers l'extra-terrestre et chuchotait :

– Comment faire pour contacter les vôtres?

Elliott ne sentait pas la main de Mary sur son

épaule, il ne ressentait plus rien sauf la perte immense qu'il venait de faire.

– Il était... le meilleur, sanglota-t-il, éperdu de chagrin à la vue de son auguste ami.

Gertie et Michael étaient entrés, bravant les protestations du médecin-chef.

Gertie s'approcha de la table, resta là sur la pointe des pieds à regarder le monstre.

– Il est mort, maman?

– Oui, chérie.

– Est-ce qu'on peut faire un vœu pour qu'il revienne?

C'était vraiment la dernière chose au monde que Mary eût souhaitée. Elle regarda la silhouette hideuse, toute tassée, l'horrible bouche, les longs doigts reptiliens et le ventre grotesque; le petit monstre n'était que laideur, et il avait failli tuer Elliott.

– Je souhaite, dit Gertie, je souhaite, je souhaite, je souhaite...

Je souhaite, pensa Mary, sans pouvoir dire ce qui la poussait à répéter l'incantation.

On les fit sortir de la bulle stérile. Elliott continuait à regarder à travers la paroi transparente. Le corps d'E.T. fut recouvert de neige carbonique et enfermé dans un sac en plastique à fermeture à glissière. Dans les autres pièces, on remballait le matériel et les vinyles protecteurs.

Un petit cercueil de plomb fut apporté et placé dans la bulle. Des hommes déposèrent l'extraterrestre dans la boîte. Keys s'avança vers Elliott et lui mit la main sur l'épaule.

– Veux-tu le revoir une dernière fois?

Keys fit signe à ses hommes de sortir et Elliott

entra seul. Le pan de plastique se referma derrière lui.

Elliott se tenait près du petit cercueil. Il ôta la neige carbonique du visage d'E.T. Des larmes coulaient le long de ses joues et tombaient sur le film plastique qui couvrait le front ridé d'E.T.

– J'espérais te garder pour toujours. J'avais un million de choses à te montrer, E.T. Tu étais comme un vœu qui devient vrai. A part que je ne savais pas que j'avais fait ce vœu quand je t'ai rencontré. Où es-tu allé maintenant? Tu crois aux fées?

Geeple geeple snnnnnnnnnnnnnnnnnnnnnnnnnnnnn org.

Un rayon de lumière dorée pénétra la bulle. D'où venait-il? Sur ce point, les historiens sont divisés. Il était d'origine plus reculée encore qu'E.T. lui-même, plus ancien que le plus ancien des fossiles. Certains affirment que l'âme salvatrice de la Terre avait tendu cette perche ténue, la seule en son pouvoir, en signe de ses bonnes dispositions diplomatiques à l'égard du visiteur venu d'ailleurs.

« Ne va plus jamais lorgner aux fenêtres. » On rapporte que le rayon aurait susurré ces mots avant de disparaître.

D'autres encore disent que la Terre était la proie du dragon et n'aurait pu se tirer seule de ce mauvais pas si une planète-sœur n'était venue lui prêter main-forte pour neutraliser le dragon de la menace nucléaire.

Et d'autres encore avaient, eux, entendu : *dreeple zoonnnnnnnngggggg ummmmmmmmtwrrrdsss.*

Venant de l'au-delà.

En tout état de cause, le doigt miraculeux fut réhabilité et se mit à briller. Et E.T. put se guérir lui-même.

Il eut la plus belle vision qui se puisse concevoir : son commandant lui apparut.

« Bonsoir, mon commandant », dit E.T.

« Ne va plus jamais reluquer aux fenêtres », répondit la voix.

« Jamais plus, mon commandant. »

Une brillante lumière emplit le corps d'E.T. et il se sentit dorer de partout. Dans son cœur-lumière, l'or se transmua en rouge clignotant. La vapeur qui s'élevait de la neige carbonique tourna au rose et s'irisa. Elliott ôta le reste de la neige de la poitrine d'E.T. et vit briller le cœur-lumière du vieux navigant.

Il se retourna vivement vers la porte. Keys était encore là, en train de parler à Mary. Elliott couvrit vivement le cœur-lumière de ses deux mains.

E.T. ouvrit les yeux :

— E.T. téléphoner maison.

— O.K. ! dit Elliott dans un chuchotement joyeux. O.K. ! (Il enleva sa chemise et en couvrit la petite lumière rouge.) Bon, il va falloir qu'on te fasse filer d'ici. Ne bouge pas.

Elliott remit la neige carbonique sur E.T. et referma le sac. Puis, feignant la plus grande affliction, il ressortit de la bulle, le visage dans les mains, bousculant Mary et Keys.

Une seconde après, il avait rejoint Michael dans la cuisine. La table était encombrée d'instruments chirurgicaux, de masques stériles et de microscopes. Sur elle, on avait posé le géranium d'E.T., tout fané. Et tandis qu'Elliott murmurait quelque chose à l'oreille de Michael, le géranium se redressa (à l'instant même où Michael relevait la tête) et, l'instant d'après, de petites pousses toutes nouvelles pointèrent sur les tiges mortes. Des boutons apparurent : il était en fleur.

Michael composa tranquillement un numéro de téléphone... puis il se glissa hors de la maison.

Michael se tenait près du principal conduit d'aération quand les hommes arrivèrent, portant la boîte de plomb. Ils ouvrirent la fermeture à glissière. L'homme aux clefs écarta le pan de plastique pour leur permettre le passage, ils s'engagèrent dans le conduit et déposèrent le cercueil dans le camion.

– Je vais avec E.T., dit Elliott.

– Toi et ta famille vous monterez dans ma voiture, Elliott. Nous aussi, nous y allons.

– Là où il va, je vais. Vous l'avez promis. Maintenant, je monte avec lui.

Keys soupira et le pan de plastique retomba derrière lui. Elliott grimpa dans le camion et frappa à la cloison de la cabine du conducteur. Michael, assis à la place du chauffeur, se retourna :

– Juste une chose, Elliott. Je n'ai jamais conduit en marche avant.

Il mit le contact, appuya sur l'accélérateur et partit. Un horrible bruit de déchirure signala que tout le système de conduits craquait : l'énorme enveloppe de plastique qui emprisonnait la maison s'écroula. Le camion fit une embardée dans l'allée, entraînant derrière lui quelque six mètres du conduit principal, telle une immense queue de dragon en vinyle qui fauchait l'air...

Michael klaxonna. Des agents de police s'empressèrent aussitôt et enlevèrent les barrières destinées à contenir la foule. Et la foule s'écarta pour laisser passer le camion. Elliott rebondit à l'arrière tandis que le camion continuait d'avancer. C'est alors qu'il remarqua que deux hommes étaient restés dans l'énorme tuyau. Ils essayaient de marcher en se cramponnant aux arceaux de l'armature.

S'il avait pu regarder au delà, Elliott aurait vu Mary sauter au volant de sa voiture, emmenant Gertie avec elle.

Elle démarra dans l'allée, dépassa les véhicules officiels et entreprit de suivre le camion, priant le ciel que le vol perpétré par ses enfants ne soit pas considéré comme un acte criminel. Mais elle ne se faisait pas beaucoup d'illusions là-dessus.

– Où on va, maman ? demanda Gertie.

– On va acheter de la crème au placenta, dit Mary.

Les roues crissaient tandis que les cordons de police la laissaient passer.

– Michael et Elliott ont volé le camion ?

– Oui, chérie...

– Pourquoi ils ne m'ont pas emmenée ?

– Parce que tu es trop petite pour voler des camions, dit Mary. Quand tu seras plus grande, ma chérie.

La voiture effectua un virage sur l'aile à la suite du camion fou. Maintenant, elle savait que le monstre était vivant, chacun de ses nerfs à vif le savait. Et que ce fût à cause des vœux ou à cause de la chance imbécile, elle était heureuse qu'il fût revenu à la vie. Bien sûr, il allait être la source d'encore bien des complications, les voitures de police étaient maintenant à leurs trousses... mais E.T. et elle... elle savait maintenant que, d'une certaine façon, c'était pour le meilleur.

Les agents rebondissaient dans le conduit, s'accrochant à l'armature qui tanguait. A l'embouchure, Elliott s'agitait frénétiquement.

Hé! pensa l'un d'eux, cet enfant ne serait-il pas en train d'essayer de détacher le conduit?

Un instant plus tard, l'homme roulait sur le pavé de la rue, empêtré dans l'énorme tuyau qui s'était affaissé sur lui et sur son compagnon. Le camion était déjà loin.

Michael se démenait comme il pouvait au volant et aux pédales du camion qui fonçait.

– Elliott, on va se tuer, cria-t-il. Et ils ne me donneront jamais mon permis!

Il était infiniment admiratif devant la façon dont les autres voitures arrivaient à déboîter au dernier moment, juste à temps pour éviter la collision. Et le camion cravachait toujours. Elliott grimpa sur la boîte de plomb qui rebondissait sur les cahots de la route. Il l'ouvrit et défit la fermeture à glissière du sac en plastique.

E.T. s'assit, enleva un reste de neige carbonique et regarda autour de lui.

– E.T. veut téléphoner chez lui.

– Est-ce qu'ils vont venir te chercher? demanda Elliott.

Zeeeep zeeple zwak-zwak.

Les yeux d'E.T. brillaient. En réponse à la question d'Elliott, son cœur-lumière brilla encore davantage, et la lueur éclaira tout le camion.

Le camion fila dans l'avenue, puis sur une route qui grimpait vers une colline appelée le Guet.

Et... du haut du Guet... guettaient les joueurs de Donjons & Dragons que Michael avait prévenus par téléphone une demi-heure plus tôt. Ils attendaient là, avec leurs bicyclettes.

Les roues crissèrent, le camion stoppa; Elliott et Michael aidèrent E.T. à descendre.

Les Donjonneurs – Greg, Tyler et Steve – restèrent abasourdis à la vue du petit monstre qui s'avançait vers eux pour leur être présenté.

– C'est un homme de l'espace, dit Elliott, et nous le ramenons à bord de son Vaisseau.

Maintenant c'était au tour des Donjonneurs de vaciller sur leurs bases. Mais, à la différence des médecins, ils avaient derrière eux l'expérience du Jeu; ils avaient joué tous les rôles : mercenaires, orques, sorciers, chevaliers, et ils étaient en quelque sorte aguerris à l'extraordinaire. Aussi, bien qu'ils fussent absolument « sciés », ils aidèrent E.T. à s'installer dans son panier et redescendirent par une des quatre routes à flanc de colline.

Tyler menait, ses longues guibolles pédalaient à toute allure. Il jeta un coup d'œil derrière lui et eut un nouvel aperçu de la « chose », dans le panier d'Elliott. Son esprit se refusait à... Il accéléra. Il fallait se débarrasser de ça au plus vite, avant que ça commence à se multiplier par clonage...

– Elliott, hurla Greg, salive au vent. Qu'est-ce que... qu'est-ce que...

Mais sa langue s'embrouilla dans sa bouche humide et il fut tout juste capable de baver d'étonnement. A côté de lui, Steve était littéralement couché sur son guidon, les ailes de sa casquette plaquées en arrière par la vitesse. Lui aussi risqua un œil sur le monstre et sut que, quel qu'il fût, sa présence était étroitement liée au fait d'avoir laissé une petite sœur vous obliger à faire des tartes de terre détrempée. Pour les détails, on verrait après. Il formula, à cet instant solennel, le vœu fervent de ne plus jamais avoir affaire à la sœur de qui que ce soit, la sienne y compris. De trop étranges choses pouvaient se produire par leur faute, des choses qu'il apprendrait probablement en première année du cours d'anatomie. Il se coucha encore davantage sur son guidon, son jeune esprit bouillonnant de questions sans réponse et ses pieds s'envolant sur les pédales.

Tandis que l'étrange équipage piquait droit sur la vallée, les voitures du Gouvernement fédéral et les cars de police affluaient au sommet de la colline, suivis de Mary. Les pneus crissèrent et les voitures stoppèrent net à la vue du camion. Les policiers sautèrent de leurs véhicules, pistolet au poing. Mary bondit vers la police en hurlant :

– Non, non, ce sont des enfants!

Des mois de frustration, de peur et de folie explosaient dans ce cri. La police recula, épouvantée, elle les bouscula pour passer. Si elle avait été aussi convaincante à son procès en divorce, elle serait aujourd'hui une femme riche.

L'incident permit à nos cyclistes de mettre une certaine distance entre la police et eux toujours très occupée par le camion et par la neige carbonique qui en jaillissait. Mais, quand les portes furent enfin grandes ouvertes, tout le monde put voir que le camion était vide.

Juste à ce moment-là, une petite silhouette émergea des buissons.

– Ils ont pris leurs vélos, hurla Lance, je sais où ils sont allés.

D'une façon ou d'une autre, il avait deviné que cet endroit serait l'endroit le plus stratégique du monde, ce soir.

Mary appliqua fortement sa main sur la petite

bouche pleine de dents en avant et entraîna le lepte dans la voiture. Mais Lance fit descendre la vitre de la portière et cria à la police et aux agents fédéraux :

– Le lac! Ils ont piqué droit sur l'autre rive du lac.

La police et les fédéraux mirent les voiles en direction du lac. Lance se tourna vers Mary.

– Vers la forêt. Je vous montrerai le chemin.

– Mais... le lac?

– Eh! D'accord, je suis un lepte, mais vous savez, je ne suis quand même pas un imbécile.

E.T. et compagnie pédalaient sur le chemin qui serpentait vers l'aire d'atterrissage. Chaque fois que les Donjonneurs regardaient E.T., ils frémissaient, mais dans leurs cœurs un sentiment nouveau grandissait très fort et qui se passait de mots. Il était leur ami, et c'était enfin le Jeu, sous sa forme la plus haute. Ils pédalaient avec une vigueur accrue, pour le mener vers son destin, quel qu'il fût.

Les cars de police firent le tour du lac. Ils passèrent devant les campings, les villas, la cabane du garde champêtre.

– Non, j'ai vu personne. (Le garde champêtre abasourdi regardait les voitures pare-chocs contre pare-chocs sur la route.) Qu'est-ce qui se passe?

Les voitures firent demi-tour, la boue et les pierres giclèrent en direction du garde champêtre et la cohorte des poursuivants reprit la route de terre pour aller rejoindre la nationale.

Par où? se demandait le conducteur de tête, un sergent de police dont l'œil était agité d'un mouvement spasmodique. Sa paupière clignait sans arrêt comme si quelque chose émettait des signaux à l'intérieur de lui-même. Il braqua le volant vers la droite et fila, guidé par un radar interne.

Les autres suivaient pied au plancher, rivalisant de virtuosité dans la conduite; les agents fédéraux surtout, qui en remettaient un peu sur les jeux d'accélération bidon. La poursuite était *grandiose* et rien ne pourrait se mettre en travers de leur chemin.

– Ici, séparez-vous en deux colonnes et déployez vos hommes.

Les radios envoyaient des messages à travers tout le cortège des poursuivants. Les flics se déployèrent en un éventail dont les lignes de force étaient le tracé même des rues de la ville. Un éventail qui continuait à donner des coups de volant et à tourner dans les virages, un éventail qui s'ouvrait et se refermait rue après rue.

– Tournez, tournez.

La paupière clignotante clignait, et les voitures clignaient avec elle. Leurs occupants captaient d'étranges signaux venus du cœur de leur proie, venus d'un extra-terrestre qui sondait les cieux avec un sonar si puissant que les pierres elles-mêmes en étaient émues.

E.T. sautait dans le panier d'Elliott, s'agrippant au câble de frein. Sa tête bourdonnait de messages.

– *Znackle nerk nerk snackle*, est-ce que vous nous recevez?

– Oui, mon commandant. Mais s'il vous plaît, grouillez-vous, *zingg zingle nerk nerk*.

Tyler pédalait si vite qu'on ne voyait que le tourbillon de ses longues jambes. Il avait passé la dixième vitesse et menait l'escouade. Michael roulait près de lui, penché sur son guidon. Soudain, il entendit un bruit de sirène dans le lointain.

– Ils arrivent! cria-t-il en lançant un regard à Elliott.

– La petite rue! répondit Elliott qui passa en tête.

Greg et Steve suivaient, ailes déployées, salive volant au vent. Les minces pneus de caoutchouc crissèrent sur l'asphalte. La petite rue menait par un raccourci vers les collines qui maintenant leur semblaient plus lointaines que jamais.

Les vélos faisaient de grandes embardées sur les cahots de la rue, les habitants relevaient leurs stores et les fenêtres semblaient cligner, elles aussi. A une des fenêtres, une main qui tenait une canette de bière porta la canette à des lèvres qui se mirent à trembler. Dites-moi que je n'ai pas vu ce monstre dans ce panier!

Un rot s'ensuivit, puis un autre, puis un pas lourd se dirigea vers le cher vieux placard aux alcools. Tout homme a besoin d'un remontant après une vision comme celle-là. Faut que je dissipe ça!

– Tournez à droite!

Le fédéral montrait le chemin, son index semblait phosphorescent. Je me demande bien comment je sais où je dois aller, se disait-il. Je sais seulement que je le sais. Par là... là...

Les voitures viraient en direction de la ruelle. Les voitures de police débouchèrent de sept points différents, puis se formèrent en caravane sur le pavé irrégulier.

La voiture de tête, toujours conduite par le sergent au blépharospasme, pénétra dans l'étroite ruelle, sirène plein tube, le bon œil fonctionnant pour les deux – mais que Dieu protège cette petite vieille dame qui sort de derrière les boîtes à ordures pour en griller une. Parce qu'après ce placage, on pourra vraiment la mettre à sécher pour une semaine sur la corde à linge...

Au bord externe de l'éventail, les agents fédéraux bloquaient l'autre bout de la petite rue. Un doigt lumineux pointa, brillant d'une certitude absolue.

– Les voilà!

Elliott sauta à bas de son vélo et monta une volée de marches de béton le long d'un vieux garage. Michael et Tyler s'élancèrent sur ses traces et sautèrent dans une cour protégée par deux clôtures de bois.

Greg écumait sur la marche du haut, Steve à ses côtés, les ailes dressées comme pour s'orienter. Ils foncèrent dans l'allée privée la plus proche.

Ils y retrouvèrent Tyler et Michael encadrant Elliott et E.T. Les énormes yeux d'E.T. roulaient dans leurs orbites.

– Ne les laissez pas me capturer. *Xyerwyer nark vmmmmmmmmmmmmnnnnnnnnn*. Pouvez-vous m'entendre?

– *Zerk, nergle vmmmmmmnnnnn znack*, notre grand capitaine vous enjoint de vous hâter, danger, danger, danger.

L'allée privée décrivait une courbe escarpée. Cinq bicyclettes s'y engagèrent, menant le monstre vers les collines par un circuit secret mieux connu des cyclistes que des automobilistes. Quelques mètres plus bas, les gros véhicules, roue contre roue, essayèrent de s'engager dans l'allée trop étroite mais, bloqués, ils durent faire demi-tour.

– Ces petits salopards m'ont filé entre les doigts, dit le sergent, son œil gauche tremblotant comme une lumière de stroboscope.

Il fit reculer sa voiture et écrasa des boîtes à ordures, espérant qu'il n'y avait pas de vieille dame, de chien, d'enfant ou de clochard couché derrière, ou à l'intérieur, parce que maintenant ils étaient sous ses roues. Il accéléra, fit hurler sa sirène; la visière de sa casquette était enfoncée jusqu'au nez, en signe de détermination. Il sortit de la ruelle et tourna encore à gauche sur un signe de son œil.

– Petit con..., marmonnait Keys, l'agent fédéral. Petit fils de pute, bon à rien.

Le joli visage menteur d'Elliott semblait le narguer. Le gosse irait loin dans la vie avec une gueule comme ça. Je vous aurai, petits salopards, tous autant que vous êtes – et juste au dernier moment! Quand vous croirez tenir le trophée définitivement!

– Tournez, tournez! hurla-t-il.

Il connaissait le chemin, il l'avait dans les doigts, dans les orteils. Le conducteur tourna, inaugurant de nouvelles figures imposées. Juste à ce moment-là, Tyler et Elliott apparurent au débouché de la ruelle.

– Merde, dit Tyler, les voilà.

Le dernier segment de rue, le dernier bloc d'immeubles avant la forêt, avant la liberté! Bloqué aux deux bouts par les flics. Les portières s'ouvraient, les hommes descendaient.

Elliott pédala en arrière. Une voiture sortit de l'ombre et fonça sur lui, gyrophares tournoyant plein feu.

L'éventail se repliait complètement sur eux. Le grand Tyler se coucha littéralement sur sa dixième vitesse.

– Essayons de forcer le barrage!

Il pédalait à toute berzingue, Michael à ses côtés, Elliott juste derrière. Les vélos roulaient à des vitesses incontrôlables, aussi vite qu'ils pouvaient rouler. Tyler leur désigna un couloir étroit entre deux véhicules garés. Elliott acquiesça. Ils se formèrent en triangle offensif. Greg et Steve constituaient les flancs du coin qui allait s'enfoncer dans le barrage. Greg, pour la première fois de sa vie, avait la bouche sèche, parcheminée.

– On peut le faire, dit-il.

Il se courba sur son guidon; il souhaitait juste avoir encore une bulle de salive pour pouvoir leur cracher à la figure. Les ailes de Steve étaient plaquées par la vitesse sur les côtés de la casquette. S'il obliquait sous un certain angle, il pouvait foncer droit dans un flic et passer la nuit en prison.

La phalange de vélos piqua sur le barrage de policiers, d'agents fédéraux et de militaires qui bloquaient toutes les issues.

Un dernier baroud d'honneur, pensa Elliott. C'est tout ce que nous pouvons lui offrir.

E.T. leva un doigt. Il fallait leur faire un petit bout de conduite, à ces enfants. Les vélos s'élevèrent dans les airs, au-dessus des voitures de leurs poursuivants.

– Enfer et damnation! s'écria le chef de la police, les poings sur les hanches, le képi repoussé sur la nuque, l'air abasourdi.

Cinq bicyclettes faisaient voile au-dessus des maisons.

Keys sortait d'un immeuble. Il eut l'impression que son estomac lui tombait sur les pieds. Les bicyclettes effleurèrent les fils du téléphone, puis le sommet des pylônes et disparurent dans le crépuscule, ne laissant derrière elles qu'une casquette ailée. E.T. regardait le paysage défiler au-dessous d'eux.

Oui, ainsi c'était beaucoup mieux; le trajet serait

plus calme. Son cœur-lumière brillait dans l'obscurité, la petite lumière rouge filtrait à travers le panier.

Un hibou qui avait regagné tardivement son arbre favori, se réveilla et déploya paresseusement ses ailes. Il était temps d'aller croquer cette vieille souris...

Il s'éleva dans les airs.

Au nom du ciel!

Cinq bicyclettes voguaient à ses côtés. L'oiseau battit en retraite, faisant claquer nerveusement son bec. Le cœur-lumière fascinait son puissant regard. Il fixait avec étonnement le vieux gobelin qui paraissait plongé dans un état tiers, ses yeux mi-clos sondant la nuit.

Les chauves-souris sont beaucoup plus grosses maintenant par ici, pensa le hibou. Ou alors, c'est que je perds la tête.

Les bicyclettes étaient déjà loin, dans le crépuscule. Elliott tourna le guidon sous cet angle qu'il connaissait bien maintenant et les autres se laissèrent glisser sur ses traces.

– Tu me diras quand c'est fini, bava Greg, les yeux clos, la lèvre humide.

Steve, enfin sans casquette, regardait le sol au-dessous d'eux. Ah! les sœurs! soupira-t-il. Elliott voguait, flanqué de Tyler et de Michael, et E.T. scrutait le ciel immense; les franges périphériques de sa conscience sondaient les nuages.

– *Znack, zerdle derggg*, oh! mon commandant, est-ce vraiment vous?

– *Znerkle derggg derggggg*.

Un visage lui apparut télépathiquement, le visage de celui en qui il avait confiance au plus haut point, le visage du voyageur le plus parfait et le plus sublime de tous les temps. Il sourit de son impénétrable sourire de tortue marqué au coin de l'intelligence la plus haute, puis l'image s'évanouit.

– La forêt! cria Elliott.

Les collines aux profonds ombrages se profilaient devant eux.

Mary, poursuivant sa route, conduisait sa voiture vers le sommet de la colline. Le lepte lui dictait ses instructions.

– Prenez la piste déboisée, dit-il, morose.

La plus grande course à vélo de tous les temps, et il n'en était pas. Pourquoi?

Parce qu'il n'était... qu'un lepte.

Gertie était assise entre eux deux, le géranium sur les genoux. Sans arrêt de nouvelles fleurs s'ouvraient, les pétales se dépliaient tandis que la voiture fonçait sur les cahots du sentier.

Lance regarda la sombre cime des arbres.

– Je reçois d'importantes informations, dit-il. Garez-vous ici.

Ils claquèrent les portières et entrèrent dans les bois. Lance ouvrait la marche, Mary tenait la main de Gertie. Ils avançaient péniblement, mais au-dessus d'eux, Elliott qui guidait la petite bande par la voie des airs approchait à vive allure de la cachette du poste-émetteur.

– Là!

Elliott pointait son doigt et les bicyclettes amorcèrent la descente. Ils se laissèrent couler vers le bas et atterrirent dans l'herbe où ils roulèrent sur quelques mètres avant de s'arrêter complètement.

Ulllll-leeple-leep.

L'émetteur bourdonnait. Elliott s'approcha. Soudain un étincelant rayon de lumière mauve fendit la nuit. Elliott s'immobilisa sous le spot de ce prodigieux projecteur et regarda E.T. L'auguste monstre le rejoignit et ensemble ils regardèrent.

Le grand Vaisseau flottait dans les airs au-dessus d'eux, brillant de tous ses feux. Il semblait à Elliott qu'un énorme ornement de Noël était tombé de la voûte étoilée.

Il contempla émerveillé la Nef admirable, tentant de s'imprégner du spectacle de sa puissance. C'était E.T. multiplié par un million, le plus grand cœur-lumière que le monde eût jamais connu. Il se sentait éclairé par son mystère, le corps traversé de messages d'amour et d'émerveillement qui l'anéantissaient. Il se tourna vers E.T.

Les yeux de l'antique navigateur étaient emplis eux aussi de la vision de la nef bien-aimée, reine de la Voie lactée. Les feux de commande exécutaient leur élégant ballet autour de la coque, et il se sentit empli de l'esprit du cosmos. Il regarda l'ami grâce auquel il avait pu envoyer son message à travers ces distances incommensurables.

– Merci, Elliott... (Sa voix était plus grave, plus accordée aux harmonies du Vaisseau, le timbre, les tonalités traduisaient de nouvelles configurations énergétiques, toujours plus élaborées.) Je promets, dit-il, faisant face à la coupée ouverte, de ne plus jamais aller reluquer derrière les vitres.

A ce moment, il prit conscience de la présence d'une autre constellation : la créature-saule venait d'arriver sur l'aire d'atterrissage et il la contempla en silence un long moment.

Gertie s'élança vers lui.

– Voilà ta fleur, dit-elle, lui tendant le géranium.

Il la hissa dans ses bras.

– Sois sage.

Une ombre bougeait à l'orée de la clairière et un cliquetis de clefs résonna dans la nuit. E.T. reposa vivement Gertie sur le sol. Il se tourna vers Elliott et lui tendit la main.

— Tu viens?

— Je reste, dit Elliott.

Le vénérable navigant embrassa le garçon et sentit la solitude cosmique qui s'emparait de lui à cet instant. Il toucha le front d'Elliott, émettant du bout des doigts des messages sophistiqués qui libérèrent l'enfant de la narcose des étoiles.

— Je reviendrai, dit-il, tandis que son doigt brillait sur la poitrine d'Elliott.

Puis l'auguste botaniste s'avança sur la passerelle de coupée.

La lumière intérieure de la Grande Gemme resplendissait et son Intelligence Infinie rayonnait en lui de millions d'entrelacs. Et, comme Elliott, il se sentit le cœur empli non plus de solitude, mais d'amour.

Il pénétra dans le halo lumineux, son géranium à la main.

1378

Achevé d'imprimer en Europe (France)
par Brodard et Taupin à La Flèche (Sarthe)
le 15 février 2002. 11429
Dépôt légal février 2002. ISBN 2-290-31868-X

Éditions J'ai lu
84, rue de Grenelle, 75007 Paris
Diffusion France et étranger : Flammarion